Juan Goytisolo
Fiestas

Juan Goytisolo

Fiestas

Ediciones Destino
Colección
Destinolibro
Volumen 140

© Juan Goytisolo
© Ediciones Destino, S.L.
Consejo de Ciento, 425. Barcelona 9
Primera edición: abril 1958
Primera edición en Destinolibro: mayo 1981
ISBN 84-233-1117-1
Depósito Legal: B. 13097-1981
Impreso y encuadernado por
Printer, industria gráfica sa   Provenza, 388   Barcelona-25
Sant Vicenç dels Horts   1981
Impreso en España-Printed in Spain

CAPÍTULO PRIMERO

El camión se detuvo en el arranque mismo de la carretera, allí donde la calle Mediodía iniciaba su serie escalonada de terrazas sobre la panorámica de solares cubiertos de chozas diminutas que se extendía hasta el flanco de la montaña. Al divisarlo, los niños que jugaban entre los montones de basura abandonaron sus tesoros de vidrio y hojalata y corrieron hacia él; el hombre de la pata de palo que ocupaba el tenderete de la esquina dejó de vocear los veinte iguales y hasta el gitano viejo que tocaba el organillo detuvo la tonada a la mitad y se acercó a ver qué ocurría.

El camión estaba cubierto por un toldo anaranjado y llevaba un altavoz encima de la cabina; las ruedas, el motor, los guardabarros resaltaban bonitamente pintados de amarillo, y unos rótulos de forma romboidal, punteados por docenas de bombillas, anunciaban el *Chocolate en polvo El Gato*. Cuando se abrió la portezuela bajaron dos hombres: uno vestido de paisano, con una máquina de fotografiar colgada al hombro, y otro, enfundado en un extraño uniforme de plástico, provisto de una montaña de prospectos. Un tercero, vestido de igual modo que el primero, permanecía sentado al volante y, a una señal del hombre del uniforme de plástico, accionó sobre el cuadro de mandos. Inmediatamente un coro de agudas vocecitas sobresaltó a la chiquillería reunida al grito de: "¡Quiero chocolate! ¡Quiero chocolate!". Hubo un momento de confusión durante el que los gritos infantiles ahogaron cualquier conato de charla. Luego, el fotógrafo desenfundó con gran cautela la máquina y su colega empezó a repartir la propaganda entre los niños.

—Cada una de esas tarjetas — explicó — concede el derecho a participar en el Gran Sorteo-Rifa. En el dorso...

Los aullidos de la chiquillería no le dejaron continuar. El que seguía en el camión había arrojado al aire un puñado de chocolatines y los niños los atraparon al vuelo, empujándose unos a otros, con gran ferocidad. Entretanto, el fotógrafo había desenrollado un cartel con el reclamo de la casa y lo exhibió triunfalmente ante la multitud.

—¡Eh, tú! — gritó el uniformado —. Diles si quieren sacarse una fotografía.

Los niños habían arrinconado al hombre junto al guardabarros, tendiéndole sus sucias, suplicantes manos:

—Deme un chocolate, señor.

—Uno para mí, señor.

El hombre del uniforme de plástico se quitó la gorra de visera y se enjugó el sudor de la frente.

—Calma — dijo —. Un poco de calma.

El ademán de sacarse la visera, más que su propia voz, obró el milagro de acallar todos los gritos. Como movidos por un resorte graduable, los ojos de los chiquillos convergieron hacia la mano que sostenía el gorro de plástico y que, por la forzada posición del brazo, parecía esbozar un resignado ademán de entrega. Anticipándose a su movimiento, algunas manos, impacientes, intentaron pillar el gorro que el hombre no soltaba. Éste pareció comprender al fin y, durante unos segundos, se entretuvo en agitarlo. Conforme esperaba, en la órbita de los ojos, las pupilas brillantes de los niños describieron un movimiento rotatorio. El hombre rompió a reír descosidamente y se volvió a poner la visera. Tenía junto a sí un chiquillo rubio y lo tomó entre los brazos con ademán benévolo.

—Está bien, está bien — concedió —. También obtendréis un gorro como el mío.

Acarició unos momentos la ensortijada cabeza del chiquillo.

Antes de depositarlo en el suelo hizo una teatral reverencia a un grupo de muchachas.

—Vamos, acérquense.

Las muchachas continuaron donde estaban, observándole con porte tímido. Aunque visiblemente halagadas por su interés, se consultaban entre sí en voz baja, como decidiendo acerca de su actitud.

En vista de ello el hombre empezó a hacerles reverencias con la gorra en la mano, en medio de la general hilaridad de los chiquillos. Al fin, las muchachas se abrieron paso, algo confusas, alisándose las blusas y las faldas.

Todas llevaban claveles en el pelo y sonrieron con expectación al acercarse.

—Por fin, por fin — voceó el hombre —. He aquí un hermoso grupo de señoritas de...

—De Murcia — dijo la más delgada —. Todas menos la pequeña. Ésta es de Granada.

—Un hermoso grupo de señoritas de Murcia y de Granada — repitió el hombre —, que quieren participar en el Concurso-Rifa del mes de mayo.

Sacó un cigarro habano de un bolsillo de la pernera y se lo llevó a los labios con estudiado ademán.

—¿Tienes dispuesta la libretita, jefe? — preguntó al que continuaba dentro.

El otro respondió con un bocinazo.

—Perfecto — dijo el hombre del traje de plástico —. Si han leído ustedes las instrucciones del dorso sabrán ya las condiciones para participar en el concurso.

Hubo un momento de silencio, roto por la pregunta de una de las muchachas:

—¿A quién ha de darse el nombre?

El hombre del traje de plástico se sacó el habano de la boca con un movimiento fingidamente indignado.

—¿A quién quiere dárselo usted? ¿Al excelentísimo señor obispo?

Recorrió el auditorio con la vista, colectando de uno a otro extremo las sonrisas aprobadoramente serviles de los niños y las muchachas, y prosiguió:

—Pues, a nosotros, guapa, a nosotros.

Del coro de chiquillos se elevó una risotada. Consciente de la atención que despertaba, el hombre encendió el puro con lentitud y alargó la cerilla al niño de los rizos para que la soplase.

—Pues no tienen remilgos las chicas esas — dijo.

Luego, volviéndose hacia la más joven, preguntó:

—¿Cómo se llama usted?

—Julita Parra.

El hombre del traje de plástico ladeó cómicamente su gorra de visera.

—Apunta, nene — ordenó a su camarada.

Hubo una explosión de risas, punteada por un regocijado bocinazo.

Mientras las chicas comunicaban al chófer su nombre y domicilio, el más bajo del trío les tendió los soportes del cartel y preparó el dispositivo de la máquina.

—Vamos, sonrían. Parecen ustedes recién salidas de unos funerales.

Las muchachas se agruparon bajo el cartel, felices y excitadas.

—¿*Pa* dónde son las fotografías? — preguntó la andaluza.

—*Pa* los diarios — repuso, con su misma voz, el del traje de plástico. Luego añadió, con su voz normal, al centenar de curiosos que le observaban —: Todo el que lo desee saldrá en los periódicos.

Como corroborando la veracidad de sus palabras el fotógrafo disparó el flash.

—Perfecto — dijo —. De campeonato.

Estaban retratadas ya, pero las muchachas no parecían dispuestas a alejarse. Con una sonrisa de adoración servil contemplaron a los dos hombres, como a la espera de una nueva iniciativa afortunada.

—¿Podemos *avisá* a las familias? — soltó la granadina al fin.

—Sí, guapa — repuso el hombre del traje de plástico.

El grupo se disolvió en unos segundos, pero ya otras mujeres se habían apoderado del cartel.

—¿Podemos salir nosotras también?

La autora de la pregunta era una mujer gruesa, con el cabello recogido en rodetes encima de las orejas y un traje de flores embaldosado de remiendos que le caía ancho de cintura. Mientras ofrecía el brazo a sus compañeras llamó a voces a uno de los chiquillos.

—Anda, arrímate.

El niño vestía un mono azul manchado y llevaba el cabello rapado al cero. La mujer le limpió los mocos con el extremo de la falda y lo atrajo hacia ella con un ademán lleno de orgullo.

Bajo el flamante estandarte azul cielo las mujeres y el niño ofrecían un aspecto aún más astrado.

—Sonríe a ese señor, rey — dijo la mujer.

El fotógrafo disparó el flash. Luego señaló al chófer del vehículo.

—¿Cómo se llama usted?

—Jesusa.

—¿Jesusa, qué?

—González — se corrigió —. Jesusa González.

—¿Y usted?

—Trinidad Sánchez.

Las otras deletrearon sus nombres y apellidos. Todas vivían en las barracas de la ladera y ponían gran empeño en señalársela:

—Aquella pequeñica, no, la del lado.

La Jesusa se encaró con el hombre del traje de plástico.

—¿Es cierto que saldremos en los papeles?

Casi al mismo tiempo sus compañeras asediaban al fotógrafo:

—¿*Pa* cuándo es la rifa esa?

El agudo coro de voces infantiles impidió oír las respuestas. El altavoz hacía llegar a los más apartados rincones el grito de "¡Quiero chocolate! ¡Quiero chocolate!", con lo que todo el mundo, incluidos los grupos de curiosos que, por haber llegado tarde, no habían asistido a la escena del comienzo, pudo enterarse de qué se trataba.

Durante media hora la gente continuó atropellándose alrededor del camión, posando orgullosamente ante el objetivo del fotógrafo, leyendo los prospectos distribuidos por los chiquillos e informándose junto al hombre del uniforme de plástico. Luego, la animación disminuyó de modo perceptible. El altavoz continuaba voceando, pero ya nadie hacía caso de los cantos infantiles. El hombre del traje de plástico acababa de dar la última chupada a su cigarro y se sentó en el estribo del camión con evidentes señales de fatiga.

La chiquillería había desertado del lugar momentos antes, al agotarse la provisión de chocolatines, y corría de nuevo entre los escombros de los solares, lanzando gritos. El gitano del organillo volvía a darle al manu-brio, y un niño hacía sonar las monedas en un platillo metálico.

El hombre del traje de plástico subió a la cabina del camión. El sol se había ocultado hacía unos instantes y en el lejano horizonte de las chabolas se barruntaba ya el crepúsculo. Cansado de perorar sin ser oído, el fo-tógrafo enfundó cuidadosamente su máquina. Al poco, el reloj de la parroquia dio las seis.

Con un suspiro, el chófer arrojó el cigarrillo y puso el motor en marcha.

Entonces el hombre reparó en la chiquilla apoyada en el poste de teléfonos y le hizo una seña con la mano. La niña tenía alrededor de unos diez años e iba vestida de modo extravagante: su falda, muy corta, estaba ador-nada de un juego de volantes que, a la más mínima os-cilación del cuerpo, cobraban la configuración de un mi-riñaque; su blusa, sin mangas, era de seda rameada; la cinta del pelo, de terciopelo verde; sus zapatos, de cuero blanco, esbozaban un asomo de tacón. En cuanto al ros-tro, el hombre del traje de plástico no hubiera sabido cómo describirlo: era pálido, muy pálido, como de por-celana blanca, con una naricilla ligeramente respingona y ojos oscuros y vivísimos. El cabello, muy rubio, estaba peinado en una sola trenza. En torno a la frente, unos mechones rebeldes formaban una aureola dorada que, incendiada por el sol de la tarde, simulaba una especie de nimbo.

Al descubrir la señal, la niña marchó al encuentro del hombre con paso decidido:

—¿Me llamaba usted?

* * *

Enmarcada en los prismáticos de Arturo, Pira se dirigió, contoneándose, hacia el hombre del traje de plástico.

Durante unos segundos se detuvo al borde del arroyo, cediendo el paso a una veloz motocicleta (paréntesis de inactividad obligada empleado en deslizar una mano flaca sobre los rebeldes mechones de su pelo). En seguida, continuó su marcha decidida hacia el lugar en que la aguardaba el hombre. Hubo un apretón de manos acompañado, por parte de Pira, de una reverencia silenciosa.

—¿Qué hace ahora? — preguntó, detrás de él, doña Cecilia.

Arturo volvió a aplicar los ojos a los prismáticos que, por un momento, había dejado resbalar sobre la manta que cubría sus piernas. Su madre ocupaba el sillón de orejas que María había arrastrado hasta el jambaje del balcón. Como de costumbre, no se atrevía a asomarse.

—A causa del viento — suspiraba.

Al igual que otros días, Arturo desempeñaba el papel de vigía, encargado de hacerle un minucioso resumen de los sucesos que jalonaban la vida del barrio. Aunque su posición era notoriamente inferior a la de los inquilinos del piso alto, gozaba, no obstante, como todas las de la calle Mediodía, de una panorámica envidiable: en primer lugar, la calle escalonada de terrazas y la desvencijada taberna de la esquina en donde el gitano tocaba el organillo; luego, los solares cubiertos de escombros y chabolas; y el puerto, en fin, con las torres del transbordador gigante cosidas por el hilo del vuelo de los pájaros.

Las miradas de Arturo se dirigían con preferencia

a las barracas cuyo crecimiento espiaba día tras día
con la misma atención que don Paco ponía en la observación de las hormigas que atacaban los capullos de sus
flores: hacía unos años apenas llegaban a diez, pero,
ahora, casi daba pereza contarlas. Aprovechando la pendiente de la montaña se apoyaban unas en otras, azules,
blancas, rosas, amarillas. Sus techos, de latón y de pizarra, tenían chimeneas herrumbrosas que, a todas horas, echaban humo, ensuciaban; sus puertas, cubiertas
de sacos y tela metálica, llevaban un número escrito sobre el dintel. A veces, el redondo objetivo de los gemelos de Arturo seleccionaba un muro hecho de adoquines,
robados de alguna calle; otras, un suelo de baldosas de
desigual tamaño, arrancadas de distintas aceras. Como
era natural, el Ayuntamiento se desquitaba de esas pér-
didas inventando contribuciones extrañas con lo que, a
la postre, eran ellos quienes pagaban el pato.

—Están edificando otras seis — decía a menudo Arturo —. Si siguen así, acabarán por ocupar toda la
ciudad.

Conclusión de probada eficacia que hacía asomar
siempre las lágrimas a los ojos fáciles de su madre.

Ahora, Arturo apuntaba con los gemelos al camión
detenido en la esquina y no experimentaba ningún deseo
de transmitir sus observaciones a doña Cecilia.

—¿Qué hace?— volvió a preguntarle ésta, llena de
impaciencia.

Atrapada en la argolla de los prismáticos, suavemente bañada por la luz del atardecer, Pira era como una
figurilla antigua grabada en esmalte.

—Habla — repuso lacónicamente Arturo.

El hombre había sacado un cigarro del bolsillo, no,
una estilográfica, que entregó a Pira, junto con una hoja
de papel.

—¿Y ahora? — suplicó doña Cecilia.

—Escribe.

—¿Qué escribe?

—No sé. No veo nada.

La niña devolvió la pluma al hombre del traje de plástico.

Hubo un breve diálogo silencioso.

—¿Y ahora?

—Están hablando.

Doña Cecilia inició un ademán nervioso, como si pretendiera incorporarse.

—Dios mío — exclamó —, me gustaría saber qué le dice.

Arturo dejó los gemelos sobre la manta; el hombre del traje de plástico había entregado a Pira un folleto; después, se habían dado la mano.

Desde el balcón, se percibió el ruido del camión al ponerse en marcha.

—¿Qué ocurre? — murmuro con inquietud doña Cecilia.

Arturo suspiró.

—Se han ido.

—¿Los del camión?

Su hijo afirmó con un movimiento de cabeza.

—¿Y la niña?

Arturo no contestó.

—¿Y la niña?

Hubo un momento de silencio; Arturo se arropó las piernas entre los pliegues de la manta y colgó los gemelos de la alcayata.

Doña Cecilia ahogó un gemido.

—Arturo contéstame.

—¿No te he dicho que se han ido?

Su madre ensayó una voz dulce.

—Sí, pero te preguntaba por la niña.

Arturo no pudo dominar su irritación.

—¿Qué diablos quieres que haga?

Volvió a coger los gemelos, con los que apuntó a la ventura, al arranque de la carretera y los volvió a bajar en seguida:

—Exhibirse, ir disfrazada, hacer el ganso.

Doña Cecilia fingió no reparar en el tono colérico de su hijo:

—¿Y Piluca?

Arturo hizo una mueca de desdén:

—Piluca está con los charnegos.

Se volvió hacia su madre, con los gemelos en la mano, observándola de modo maligno.

—Mira. Contémplala. Jugando entre las basuras, con los de las barracas...

Doña Cecilia tuvo un acceso de llanto.

—Qué vergüenza, Dios mío, qué vergüenza.

Arturo colgó los gemelos, sin mostrar ninguna piedad por sus lágrimas.

—Lo que nos faltaba; que nos traigan su miseria hasta el piso — tuvo una risa sarcástica —. Como si no nos bastara con la que tenemos

—Por favor, te lo suplico, no me hables así. Ya sabes que si de mí dependiera...

—Si de ti dependiera — repitió Arturo, parodiando cruelmente su voz.

—Te juro que soñé para ti lo mejor — sollozó doña Cecilia —. Hubiese querido darte una carrera, una educación. También lo de las piernas habría podido curarse con un tratamiento adecuado.

—Conozco el disco. Pero preferiste casarte con un holgazán que te llenó de arrapiezos.

—Sí, lo sé, tienes toda la razón. No sabía lo que me hacía. Estaba como loca, te lo juro. La pérdida de la casa, tu enfermedad, me habían trastornado. Luego, la guerra, los bombardeos...

—... los sufrimientos del período rojo — apostilló burlonamente Arturo.

—... acabaron con mi salud y mi resistencia. Todo se me había escurrido entre las manos: el marido, las esperanzas, el dinero... Estaba como ciega, me caía y pretendí agarrarme a algo...

—A un hombre sin oficio ni beneficio.

—Lo sé, lo sé, tienes mil veces razón. Todo me ha salido al revés de lo que había imaginado. María y tú veíais las cosas claras. Pero entonces...

—Por favor — dijo Arturo —. Me cansas.

Su madre pasó la observación por alto:

—Si las cosas hubieran ido de otro modo, ni tú ni yo nos veríamos reducidos a la situación en que nos encontramos. Toda mi vida había ahorrado dinero para darte una cultura, mundo, viajes. La guerra, la maldita guerra...

—Palabras — suspiró Arturo —. Palabras y más palabras.

Doña Cecilia se enjugó con el pañuelo las lágrimas que le corrían por las mejillas.

—Si María Costa levantara la cabeza... — dijo.

Arturo emitió una risa seca que resonó en la habitación como un crujir de cañas.

—Me gustaría saber qué 'dría hacer por ti María Costa en estos momentos.

—¿Que qué podría hacer? — exclamó su madre —. Puedes estar bien seguro de que si conociese nuestra situación tomaría sin vacilar el primer barco.

Contempló la fotografía amarillenta que reposaba en la cómoda y añadió:

—María y yo nos queríamos como dos hermanas. Si supiera cuán apurados estamos no permitiría ni un segundo más que continuásemos en este agujero.

—Pues escríbele. Vamos, ¿qué esperas?

Cuando doña Cecilia se disponía a contestar, los gritos de los niños que jugaban en el pasillo adquirieron un volumen alarmante. Casi en seguida la puerta se abrió de par en par y apareció Tonio llorando:

—Rosita me ha pegado — sollozó.

—Mentiroso. Mentiroso — gritó Rosita —. Ha sido él. Quería que hiciésemos pipí juntos.

—No es verdad. Ella quería que jugásemos a médicos y enfermeras con Ricardo, y yo no le he dejado.

Rosita se abalanzó sobre su hermano y ambos rodaron por el suelo:

—Confiesa.

—Confiesa tú primero.

Arturo se volvió hacia su madre.

—¿Lo ves? — murmuró —. No les basta correr todo el día como gitanos. Para sacudirse las pulgas necesitan venir aquí.

Doña Cecilia pareció reaccionar al fin. Incorporándose penosamente del asiento, hizo ademán de golpearles con su bastón.

—¿Quién os ha dado permiso para entrar?

Los niños se levantaron sin aflojar su abrazo y retrocedieron, remoloneando, hacia la puerta.

—Fuera de ahí. Largo.

Temiendo que los gritos llamasen la atención de su hermanastra, los niños se escabulleron. Antes de abandonar la habitación, Tonio se volvió hacia doña Cecilia y le hizo una reverencia burlona.

—Lo que te faltaba — observó rencorosamente Arturo —. Encima se ríen de ti.

—Oh, ya sé que tu vida es una vía crucis, que soy para ti una carga y que todo ha salido al revés de lo que yo había imaginado, pero te juro que obré sin malicia. Tu enfermedad, la guerra, me habían trastornado... Cuando le conocí...

La conversación discurría aproximadamente en los mismos términos que de costumbre y ambos la interrumpieron de repente, de puro cansancio. Doña Cecilia guardó el pañuelo en el bolsillo del batín y Arturo descolgó los prismáticos de la alcayata. Acodado en la herrumbrosa baranda de hierro, apuntó a los solares que se extendían hasta la montaña vecina. Detrás de él, doña Cecilia seguía, a la expectativa, el movimiento de sus manos. Al cabo no pudo contenerse más y dijo:

—¿Qué ves?

Arturo emitió un resignado suspiro.

—Murcianos — repuso —. Murcianos.

* * *

A través del balcón entreabierto era posible oír algún fragmento de la conversación del piso bajo.

—¿Quiénes son? — preguntó, confidencialmente, la visita.

Durante unos segundos, la observó por encima de las gafas.

Cómodamente instalada en el sillón, la mujer del delegado tenía el rostro bermejo, como si el vino se le hubiera subido a la cabeza.

—Los antiguos propietarios de la casa — repuso Enrique —. La mujer, que tenía dos hijos de más de veinte años, se volvió a casar después de la guerra con un ferroviario viudo.

Conforme solía hacer en esos casos, se volvió a mirarla con expresión dubitativa:

—¿Cuántos hijos tiene don Paco? ¿Cuatro o cinco?

—Setenta y dos más diecisiete — murmuró sin apartar la vista de los libros.

—Oh, no la moleste usted — se apresuró a decir la visita —. Cuando se tiene la cabeza ocupada... También yo he llevado durante años la contabilidad de una industria y sé lo que es tener el cerebro lleno de números...

Sin duda aguardaba una sonrisa por el cumplido, pero no se dignó siquiera mirarla.

—Creo que cuatro o cinco — dijo Enrique —; no estoy seguro. Además, desde hace algún tiempo, hay una niña nueva. Según parece, una sobrina del marido, que ha venido a vivir con ellos.

—En la escalera he topado con una — dijo la visita —. No he podido verla muy bien, pero me ha dado la impresión que iba disfrazada.

—Entonces es la sobrina. Siempre anda vestida así. La sirvienta de los bajos me dijo el otro día que le faltaba algún tornillo.

—Hablando de chiflados... Mi Melchor recibió hace algunos días la visita de un vecino de ustedes... Un tal Rafael Ortega.

—¿El profesor Ortega? — exclamó Enrique — ¿Qué quería? ¿Presentarse candidato en las próximas elecciones municipales?

—Algo por el estilo — dijo la visita —. Figúrese usted que el buen hombre pretendía que mi Melchor apoyase una instancia que había dirigido al alcalde, pidiéndole autorización para instalar por su cuenta una escuela gratuita para los niños de las barracas.

El marido rió amablemente, coreado en seguida por la mujer del delegado. Ella interrumpió por un momento la comprobación de las sumas y abandonó el bolígrafo encima de la mesa. Siempre había sospechado que estaban hechos uno para otro y, en aquel instante, la idea se le impuso con evidencia: la quebradiza silueta de Enrique recortada en el voluminoso cuerpo de ella, algo grotesco, ridículo, como para exhibirlo en un circo.

Por si fuera poco, la muy torpe, hablaba alto de forma que el marido pudiera oírla sin esfuerzo. Con cuatro de visitas como aquélla, Enrique acabaría convenciéndose de que su oído era perfecto y que la sordera, como tantas otras cosas, era invención de ella. Pues bien, si se imaginaba esto, andaba bien apañado. Ella no tenía un pelo de tonta y si pretendía gallear, le respondería con susurros durante el resto de la semana.

—En fin — decía la visita —; que mi marido no pudo sacárselo de encima sino con la promesa de que hablaría personalmente con el alcalde.

—Ortega ha sido siempre un poco especial — comentó Enrique —. Hace algunos años, Francisca y yo le buscamos una plaza en el colegio de los Maristas. Al cabo de quince días, por culpa de sus extravagancias, estaba otra vez en la calle.

—Usted comprenderá que si se hubiera tratado de otra cosa, mi marido habría hecho todo lo posible... Mire usted, al celador de la Junta Diocesana le consiguió, hace unos días, el apoyo financiero del alcalde... Pero instalar una escuela por su cuenta...

—Es una lástima que un hombre de su valía no sepa abrirse camino. No tiene el menor sentido de la realidad. En el barrio se susurra — añadió bajando la voz — que es medio comunista.

—Jesús, María y José — exclamó la visita —. No quiero ni imaginar lo que hubiera ocurrido si mi Melchor llega a averiguarlo. Con lo que llegó a sufrir durante los rojos: seis semanas encerrado en un sótano, a pan y agua, el pobrecillo con lo que le gusta comer...

—No me hable, doña Carmen, no me hable. De sólo pensar en lo que pasamos en esos años se me pone la carne de gallina.

—Catorce kilos perdió el pobre. Cuando salió, casi

no le reconocía — lanzó un suspiro —. Verdaderamente hay gente que no tiene entrañas.

Ella hizo una leve mueca con los labios, sin apartar la vista de las facturas amontonadas en la mesita.

—¿Decías algo? — preguntó solícitamente Enrique.

—Seiscientos doce más ochenta y cinco; seiscientos doce más ochenta y cinco...

La visita intervino con su voz de contralto:

—No, nada. Está repasando sumas.

El marido tuvo una sonrisa de disculpa.

—Como soy algo duro de oído... A veces me figuro que habla.

La visita lanzó un nuevo suspiro, como recordando que la vida era un valle de lágrimas.

Hubo una breve pausa que Enrique aprovechó para servir otro oporto.

—Yo creo — dijo la visita al fin — que Melchor tiene razón cuando dice que el Ayuntamiento debería tomar medidas más enérgicas para combatir la plaga.

Con un dedo enjoyado, señaló los solares cubiertos de barracas que se extendían hasta llegar a la ladera del monte.

—Un espectáculo así es indigno de una ciudad como la nuestra... Cuando pienso en la impresión que se llevarán los millares de peregrinos que este verano asistan al Congreso...

—Pues dicen que la comitiva del Nuncio pasará justamente por la Vía Meridiana.

—Oficialmente nada se sabe aún. Melchor forma parte, naturalmente, de la Junta y me lo dijo ayer noche cuando volvió a casa — suspiró —. Desde hace unas semanas el pobrecillo está todo el día en danza.

—También nosotros andamos muy cargados de trabajo — dijo Enrique —. A causa de las cruces fluorescentes. Solamente la parroquia, nos ha encargado más de dos mil... Sin contar las demandas de los particulares.

—Caramba, chica. No me extraña que estés tan ocupada con tus números. Dos mil cruces... Está pronto dicho... Pues no te vas a dar poco pisto este verano.

El "nosotros" de Enrique le zumbaba todavía en los oídos. Estaba ordenando la pila de albaranes y fingió no reparar en la sonrisa de la mujer.

—No sale — dijo a media voz.

—¿Qué?

—Dice que no sale — aclaró la visita.

—¿Que no sale, qué?

Doña Francisca no se dignó contestar. Por encima de las gafas contempló a la mujer repantigada en el sillón verde oscuro: no, no tenía trazas de irse; tal vez esperaba quedarse allí toda la tarde.

—Trescientas sesenta y cuatro más doscientas quince — dijo con voz dura.

Como esperaba, el efecto fue inmediato.

—¡Huy! Qué tarde — exclamó la mujer consultando el reloj —. Creía que aún no eran las cinco.

Enrique no dejó perder la última ocasión que se le presentaba.

—Oh, no se marche usted aún. Mi mujer y yo estamos encantados.

—No, no quiero estorbarles más. Ustedes tienen su trabajo y yo tengo el mío.

Se estrecharon la mano. Luego, mientras el marido la escoltaba hasta la parada de taxis, se entretuvo, una vez más, en verificar la exactitud de las sumas. No cabía duda. Enrique había hecho mal las cuentas: las quinientas pesetas no aparecían por ningún lado.

Cuidadosamente sujetó los recibos y albaranes con una cinta y los introdujo en la carpeta forrada de rojo. Aguardó, inmóvil, a que el marido regresara a la salita y ajustó cuidadosamente la puerta a su espalda.

—Desnúdate — ordenó con voz firme.

—¿Cómo?

—Que te desnudes.

Hubo un breve silencio durante el que Enrique la contemplaba como atontado.

—¿Puede saberse qué...?

—Desnúdate y calla.

—Acaso...

—Sin acasos.

Enrique comenzó a ponerse pálido.

—Francisca, te juro que...

—Te prohíbo que jures.

Sus ojos adquirían una expresión indefinible.

—Entonces, sal al menos — ensayó.

—No. Delante mío.

—Me niego. No quiero. No...

—Basta de comedia. Si no lo haces por las buenas, lo harás por las malas.

La sangre había huido del rostro de Enrique.

—Por lo que más quieras, Francisca. Te juro que no te he quitado nada. El único billete que toqué era uno de quinientas, con el que pagué al electricista.

Era verdad; lo había olvidado. Pero, tal como estaban las cosas, no podía volverse atrás sin merma de su prestigio.

—Yo no he dicho que me hayas robado nada — dijo con voz seca —. Lo único que quiero es que te pongas en cueros.

—Pues no lo haré. No, no y no.

—Entonces me obligarás a que lo haga yo misma.

Ante la firme decisión de su voz, su resistencia se había desvanecido. Su rostro pareció llenarse de arrugas. Iba a llorar, lloraba ya.

—Por favor, Francisca, te lo suplico: evítame esa

humillación. Ya sabes que siempre te he obedecido y que me desvivo por agradarte...

Hasta que los sollozos ahogaron sus últimas palabras.

—No te lo perdonaré... No te lo perdonaré nunca, nunca...

Pero empezaba ya a desabrocharse la camisa con dedos temblorosos.

Ella contempló con satisfacción el pecho flaco donde se transparentaban las costillas, sus brazos magros surcados de venas, su cuello frágil...

Enrique parecía un niño: un niño escuálido y envejecido que desabrochaba el cinturón, se despojaba de los pantalones, de los calzoncillos, de los zapatos... Luego, permaneció delante de ella, desnudo y sollozante, con el pecho hundido y la cabeza gacha, mientras ella fingía registrar una a una las prendas.

Para doña Francisca — lo decían sus ojos astutos detrás del cristal de los lentes — aquella había sido una gran jornada.

* * *

Aprovechando la pendiente del terreno, los inquilinos del entresuelo disfrutaban de un jardincillo situado en la parte trasera de la casa. Durante muchos años aquel jardín había permanecido en un estado semisalvaje. A partir del segundo matrimonio de doña Cecilia, la tarea de su revalorización y cultivo se convirtió en el principal entretenimiento, si no en la razón de ser, de don Paco.

Aunque por aquellas fechas Piluca era todavía muy chica, el aspecto exótico del jardín se había grabado en su memoria con obstinada fijeza: unas enredaderas, con flores como de espuma, trepaban por la baranda hasta la agrietada marquesina de vidrio; junto al pozo, una parra se encaramaba por el alambre hasta la garrucha. El resto del huerto estaba cubierto de zarzales y maleza, entre cuya espesura los ratones campaban a sus anchas.

Aquel panorama sugestivo se había modificado por completo en el curso de unos días. Su padre comenzó por cortar las voraces enredaderas que cubrían la fachada y que, aún muertas, se obstinaban en mantenerse abrazadas a los ladrillos que les servían de sustento; en seguida, procedió a la limpieza del jardín y lo rozó de hierbajos. El pozo de piedra estaba cegado, pero don Paco ingenió un extraño dispositivo que permitía aprovechar por completo las aguas residuales del piso de doña Francisca.

Poco después, hizo la primera siembra.

Durante la época difícil de la posguerra se entretuvo en aplicar al huerto las disposiciones oficiales sobre Agricultura reseñadas en la Prensa; así, el primer año había sembrado sólo soja, cuya semilla, afirmaba, era riquísima en calorías; luego le tocó el turno a los boniatos, pese a que doña Cecilia se negaba en redondo a probarlos, asegurando que en sus antiguas fincas no los comían ni los cerdos; para evitar gastos de farmacia y de estanco, había intentado también el cultivo de tabaco y algodón.

Pese a las afirmaciones de los técnicos, la prueba no dio ningún resultado. A partir de entonces, desengañado, se dedicó al cultivo de especies más vulgares y de rendimiento más seguro: patatas, habichuelas, berenjenas, tomates, que sembraba cuidadosamente, conforme a un plan, y cuyo crecimiento espiaba durante todo el día, sentado en su sillón.

Las atenciones exigidas por el huerto, explicaba a menudo, eran de índole diversa: a veces se trataba de regar una planta mustia, otras de encañar algún zarcillo o podar una rama. Su padre ponía gran esmero en la ejecución de estas industrias, y algunas tardes, cuando volvía de la escuela, le mostraba el cadáver de un parásito.

—Lo descubrí en la tomatera, mientras regaba — decía —. Ayer maté otros dos.

En un principio, había querido convertir en huerto todo el jardín, pero María le hizo observar que los chiquillos necesitaban un poco de espacio para sus juegos. Desde entonces, estaba dividido en dos partes: la del fondo, definitivamente convertida en huerto, y la delantera, con el pozo, el gallinero y el almendro, reservada a los esparcimientos infantiles.

Encima del gallinero había un sobrado lleno de telarañas que, desde la aparición de Pira, constituía su refugio favorito. Para subir a él era preciso trepar por las ramas del almendro que lo cubría, le daba sombra y lo resguardaba.

La tarde de su llegada, Pira lo había observado con gran atención y, durante la cena, le reveló su proyecto de convertirlo en un estudio.

—Algo apartado — dijo—, adonde no lleguen los gritos de los chicos.

El sobrado estaba desnudo y sucio, y la niña lo transformó en pocos minutos. Su maletín cubierto de etiquetas contenía un cargamento precioso: mascarillas hechas con cilindros de papel; caretas chillonas con sonrisas alocadas; muñecas de celuloide y trapo, descabezadas, cojas y mancas; espejos rotos en forma de estrellas; lápices de labios, frascos vacíos, pulverizadores de perfume y bolitas de ágata. Sin decir una palabra, los fue distribuyendo por la estancia hasta que quedó toda vestida.

La puertecilla de madera repintada la adornó con

una aleluya de mosaico. *Mi casa es mi mundo,* rezaba la inscripción. Luego, bajó al pie del árbol y contempló la obra hecha.

—No está mal — dijo —. Creo que aquí podremos vivir aisladas.

Aunque sus primitos la miraban con la boca abierta, ella no les hizo ningún caso. Se limitó a observar el almendro, florido en aquella época del año, y dictaminó:

—Al árbol lo llamaremos Parsifal.

Luego volvió a encaramarse al sobrado y se extendió sobre una manta playera.

—Voy a descabezar un sueñecillo — dijo —. Esta noche apenas he podido dormir y me siento algo cansada.

Piluca no salía de su asombro. Algún tiempo atrás, don Paco les había explicado que como la madre de Pira atravesaba una situación difícil, él había consentido en guardarla consigo durante unos meses. El padre estaba en el extranjero desde después de la guerra y hacía más de diez años que no daba señales de vida.

—La pobrecilla ha pasado mucha miseria y debéis quererla como si fuese una hermana.

El recuerdo de aquellas palabras le había producido un extraño desasosiego. Cuando Pira se despertó le dijo:

—Me gustaría que te quedases con nosotros para siempre.

Con gran sorpresa de ella, su prima no pareció muy halagada.

—¿Aquí? — dijo —. ¡Vaya ocurrencia!

Sin dignarse siquiera mirarla, deslizó una mano delgada sobre los mechones de cabello que eludían la rígida disciplina de la trenza.

—En mi vida he oído algo tan absurdo.

Piluca sintió que la sangre fluía a sus mejillas, pero se esforzó en disimularlo.

—¿Quieres volver con tu madre?

—¿Con mi madre? — exclamó Pira —. Ni soñarlo.

—Entonces — la voz le salió de la garganta como un hilo —, ¿dónde te propones ir?

Pira tuvo un ademán desenvuelto.

—Pues a Italia, querida, a Italia.

Con una mirada distraída recorrió los cilindros de papel verde clavados en las paredes.

—Mi padre vive allí, en un castillo, y quiero reunirme con él. No conozco todavía su dirección, pero sé que trabaja en la Curia de Roma. Cualquier empleado podrá darme sus señas.

En pocas palabras la puso en antecedentes de los hechos: durante los últimos días de la guerra, dijo, su casa había sido destruida por los aviones nacionales, pero, tanto ella como su madre, resultaron milagrosamente indemnes; su padre, oficial del ejército republicano, había huido al extranjero, creyéndola muerta; desde entonces nada sabía de él, sino que se había hecho riquísimo y que, diariamente, lloraba delante de su retrato. En cuanto ella consiguiera algún dinero, añadió, se embarcaría para Italia. Una vez allí, se presentaría ante la Curia, y su padre, al reconocerla, la llevaría con él al castillo y no volverían a separarse.

—Apenas estemos instalados —concluyó—, te mandaré a buscar a ti también y vivirás con nosotros, si tú quieres.

Habían transcurrido varias semanas desde entonces y, aquella tarde, Pira había decidido salir sola sin hacer caso de sus súplicas. La tenía muy vista, había dicho, y deseaba olvidarla un rato, no sabía siquiera adónde iba a ir; seguramente a contar los frailes por si se había perdido alguno; no, no iba a encontrarse con nadie; por otra parte, si debía visitar algún amigo, no estaba obligada a contárselo; era lo bastante mayorcita para saber lo que se hacía y no tenía por qué rendir cuentas a nadie.

Piluca la vio partir con los ojos llorosos y corrió a ocultarse en el refugio. Durante largo rato permaneció allí, sin hacer nada, repasando mentalmente la interminable lista de agravios de su prima. A través de la puerta podía ver a su padre leyendo el periódico en su sillón: de vez en cuando, se levantaba, como si tuviera las piernas entumecidas y realizaba una cuidadosa inspección del huerto; sus incursiones, aunque breves, le proporcionaban siempre algún botín: gusanos, orugas, hojas secas, que arrojaba al cubo de la basura; en seguida se sentaba de nuevo y reanudaba la lectura del periódico. Sus hermanos mimaban en el pasillo algún filme de bandidos.

Arturo y la madrastra discutían, como de costumbre, en el cuarto de delante.

En contra de lo que se temía, Pira no se hizo esperar mucho. Poco después de las cinco apareció en lo alto de la escalera y, por lo alegre de su risa, Piluca comprendió que había olvidado su disputa.

Pira agitaba con la mano un sobre amarillo y no quiso contestar cuando don Paco le preguntó qué era. Ágilmente, trepó por las ramas del almendro y se coló en el interior del sobrado.

—Apuesto cualquier cosa a que no sabes qué hay ahí dentro — dijo, pasándole el sobre por las narices.

Piluca lo contempló a contraluz durante unos segundos.

—No lo sé — dijo —. No tengo la menor idea.

Pira volvió a agitarlo delante de ella.

—Adivínalo — dijo.

—¿Una carta?

No, no era una carta.

—¿Alguna noticia?

Tampoco era una noticia.

—No lo sé. Me rindo.

Pira consintió, al fin, en dárselo.

—Espera. Voy a sacarlo del sobre.

Sus dedos nerviosos acertaron a desdoblar un folleto lleno de ilustraciones, que le tendió con un ademán triunfante.

—Ten. Léelo en voz alta.

—*Gran sorteo de chocolates El Gato: Renault cuatro plazas salido de la fábrica* — deletreó Piluca —. ¿Es esto?

—No. Un poco más abajo.

—*Espléndido circuito por Italia.*

—Esto.

Piluca empezó a leer de corrido, como si estuviera en clase.

—El afortunado poseedor del número premiado en el Concurso realizará también un *espléndido circuito por Italia,* en hoteles y restaurantes de primera, del diez al veinticinco de julio del presente año.

Luego seguía una breve reseña de las principales etapas de ese *Viaje monstruo organizado por la gran firma mundial Chocolates El Gato: Florencia* (cuna del Renacimiento, con su magnífico Palacio Pitti); *Venecia* (la ciudad de los mil canales); *Capri* (la isla del placer); *Roma* (recorrido turístico en autocar, con visita especial al Santo Padre).

El folleto contenía, además, abundantes fotografías de los lugares recorridos durante el viaje y concluía con el poema ensalzatorio de las grandes virtudes nutritivas de la *Marca registrada El Gato.*

Piluca lo leyó de cabo a rabo y lo devolvió finalmente a su prima.

—Has tenido una suerte magnífica — dijo —. ¿Cómo te la has arreglado para...?

La niña le interrumpió con un ademán.

—Muy sencillo — dijo —. El encargado de la casa me ha regalado un boleto, y luego me ha extendido un recibo firmado de su puño y letra.

De su monedero colorado sacó un papelito doblado en cuatro.

—Boleto mil trescientos quince. El número lo he elegido yo misma. Anoche soñé precisamente en él y supe que sería premiado.

Por fin el viaje a Italia, el encuentro con el padre, la vida común en el castillo. Piluca sintió en el pecho una punzada de alegría.

—¿Cuántos días faltan para el sorteo?

—Treinta y ocho. Casi cinco semanas.

—Entonces...

—Entonces — dijo Pira, volviendo a guardar el boleto —, entonces, empezamos a vivir de verdad, y todo esto se convertirá en un mal sueño.

CAPÍTULO SEGUNDO

E L hurto se llevó a cabo con la misma facilidad que de costumbre. El monedero ocupaba el lugar de siempre en el bolso de hule y no tuvo que revolver mucho para encontrarlo. Durante unos minutos, examinó el amasijo de billetes y eligió, al fin, uno de veinte duros. Luego devolvió el monedero a su sitio y cerró cautelosamente la puerta a su espalda.

Por un vestigio de sus temores de niño se puso a cantar. Le angustiaba la idea que el tictac del corazón se hiciese súbitamente perceptible e intentaba exorcizarla provocando en torno de él una endemoniada algarabía.

Alegremente, voceó por el pasillo un aire de ópera hasta que llegó junto a la puerta del profesor Ortega. Allí, el espejo biselado de encima de la consola le devolvió una imagen pequeña y blanca: no, aquel niño de ensortijado cabello e ingenuos ojos no podía haber hecho nada malo; parecía un santito, así inmóvil, con los brazos cruzados sobre el pecho a la manera de los santos niños mártires del libro de plegarias...

Tranquilizado, regresó al comedor y abrió los cuadernos de estudio. El reloj marcaba las cinco menos cinco y podía trabajar durante un rato. No debía encontrarse con el Gorila hasta las seis y desde su casa al muelle había veinte minutos de tranvía.

Inclinado sobre la libreta de deberes, se esforzó en resolver el problema de álgebra; pero tenía la cabeza llena de pájaros y le resultaba imposible concentrarse. Si el profesor hubiera sido menos rígido, no habría perdido miserablemente el tiempo emborronando cuadernos de deberes durante horas y horas; pero, aunque Ortega vivía realquilado en el piso desde la muerte de sus padres, no había consentido nunca en darle una mano. "No, no sería honesto — decía —. Lo único que puedo hacer es ayudarte a descifrarlos." Su ayuda suponía una gran pérdida de tiempo, y Pipo había acabado por rechazarla. Que le saliesen mal los problemas, le daba igual; lo importante era tener la tarde libre.

Lanzando un suspiro, volvió a cerrar el cuaderno. Se sentía incapaz de pensar. El problema lo resolvería después, a la hora de la cena o, al día siguiente, mientras se desayunaba. Había dejado entornada la puerta del pasillo y aguzó el oído al percibir la voz de la sirvienta.

—No. No puede usted estar quieta un segundo. Necesita usted entrar en la cocina y ensuciarme el suelo con sus potingues.

—Lo hice sin querer — repuso la abuela —. Le estaba preparando el café con leche al niño y...

—Sin querer, sin querer... Ya sé que no lo iba a hacer usted por gusto... Pero luego es una quien debe de limpiarlo.

—Déjeme usted la bayeta... Yo misma lo recogeré.

—Ah, eso sí que no... Hasta aquí podíamos llegar... Después del lío que me armó ayer... No faltaría más que le volviese a fallar el pulso...

—Fue a causa de la luz... El contador de la escalera estaba cerrado.

—Excusas nunca le faltan.

—A lo menos déjeme que la ayude.

—Se fatigaría usted y no haría más que estorbarme... Además, el médico le ha ordenado reposo...

—El médico, el médico...

—Luego se queja usted si le duelen las piernas... Veremos lo que va a decir cuando la visite.

—Déjeme llevarle el cubo.

—No. Pesa mucho y tendría usted que soltarlo.

—Entonces permítame acabar el café con leche para el nieto.

—Su nieto ha comido con buen apetito y no tiene por qué malcriarlo con sus laminerías... Luego se queja usted cuando no come.

—Es joven y necesita crecer.

—Oyéndola a usted cualquiera supondría que lo matamos de hambre...

Pipo dejó de prestar atención e intentó abrir el cuaderno de álgebra. Gran Dios, qué aburrida era. Estaba harto de partirse la cabeza tratando de resolver problemas llenos de letritas que no conducían a ningún lado. Se acordó de las palabras del Gorila: "¿Álgebra? ¿Qué es eso? ¿Una filosofía?", y sintió deseos de correr a su encuentro para reír como entonces.

Había permanecido abstraído durante unos minutos y, al darse cuenta, miró de nuevo el reloj: las cinco y cuarto. En la cocina, la abuela y Antonia continuaban discutiendo. Pipo no les hizo ningún caso. Estaba cansado de oírlas y se sabía el disco de memoria. La sirvienta se entretenía en zaherirla hasta que la abuela sollozaba. A veces Antonia rompía a llorar también y le pedía perdón por su mal genio. Afirmaba, entre suspiros, que la abuela era "un ángel" y que, en aquella casa, "la tenían demasiado consentida". Luego se reconciliaban aparatosamente, con propósitos de solemne enmienda, y la abuela se apresuraba a decir a todo el mundo que Antonia tenía "un corazón de oro".

Aquella tarde, sin embargo, no hubo llanto, reconciliaciones ni enmiendas. Antonia recitó con voz sorda su larga lista de agravios contra la abuela: ¿Por qué se empeñaba en vestir como una mendiga si en el armario tenía cinco trajes? ¿Por qué olvidaba la dentadura postiza en todos sitios, en lugar de meterla en un vaso de agua como las personas? ¿Por qué se negaba a comer en la mesa y se pasaba luego todo el día royendo los mendrugos sobrantes? ¿Por qué hurgaba en el cubo de la basura cuando creía que nadie la veía y llenaba luego su bolsa de hule de cáscaras de plátano y naranja? La abuela se había negado a contestar; muy excitada, paseaba de un extremo al otro del piso con su sombrero de calle y, al verle, se llevó el índice a la sien, con un movimiento significativo.

—Tu abuela está chiflada — decía —. Completamente chiflada.

Y Pipo se esforzó en sonreír porque le daba pena verla de aquel modo y, desde que le sisaba dinero, se sentía culpable.

Al fin, la tormenta cesó de igual manera que se había presentado y las nubes escamparon como por arte de magia. Antonia le trajo el café con leche preparado por la abuela y abrió la puerta del patio para ir a buscar el loro. Durante unos momentos Pipo los oyó dialogar en voz baja. En seguida, Antonia regresó con la jaula, muerta de risa.

—El muy tunante — dijo, dejando la jaula sobre la mesa, para secarse los ojos con el pico del delantal — ha aprendido a imitar a la bruja de ahí arriba.

Cuidadosamente, abrió la puertecilla de alambre y le alisó las plumas de la cabeza. El loro, satisfecho, emitió un chillido agudo.

—Ah, ya sé que te gusta dejarte rascar la cabecita, tunante, requetepillo...

Sacándolo de la jaula, lo acurrucó contra su pecho.

—Ladronzuelo..., bandido..., que le gustan las caricias... y los mimos...

El loro la dejaba hacer, amodorrado. Antonia, bruscamente, le dio un golpecito en el pico.

—Di lorito.

—Lorito.

—Así, así me gusta.

Su actuación obtuvo como premio un nuevo lote de caricias. El loro fingió adormecerse de placer.

—El muy pillastre — dijo Antonia — se pasa el día oyendo los gritos de los señores de arriba y ha aprendido a imitar la voz del señor —. Se volvió sobre el loro y preguntó: — ¿Qué dice el señor del segundo? Anda, ¿que dice? — El loro emitió uno de sus gritos —. No, eso no.

Lo besó varias veces, como para darle ánimos y deslizó suavemente a su oído:

—¿Qué?

El loro batió alegremente las alas.

—¿Qué? — gritó a su vez.

Antonia se volvió hacia él muerta de risa.

—¿Lo ve? ¿No se lo había dicho? Como el pobre señor está medio sordo se pasa el día diciendo "¿Qué?" y este pillastre, el muy bandido, se divierte tomándole el pelo, ¿no es verdad, chiquito mío?

Orgulloso de aquellos elogios, el loro inclinó la cabeza y agitó las alas.

Luego volvió a chillar:

—¿Qué?

—Precioso, tunante, salado, que eres un sol, un verdadero sol...

—¿Qué? ¿Qué? ¿Qué?

Antonia lo oprimía contra el pecho, con los ojos llenos de lágrimas.

—Si lo oyera la bruja — decía —. Si pudiera oírle...

Un acceso de tos le impidió continuar.

Sin abandonar su asiento, Pipo cerró definitivamente el cuaderno de álgebra y apuró de un sorbo el tazón de café con leche. El reloj marcaba ya las cinco y media. Si se descuidaba, llegaría tarde a la cita.

Apresuradamente se dirigió a su dormitorio y se puso un jersey de punto. Los otros días, Antonia le seguía hasta la puerta hostigándole con sus pullas: "¿Prefiere usted estudiar afuera?", o bien: "Cada día se vuelve usted más listo. Si sigue así, pronto no tendrá que estudiar nada".

Aquella vez la mujer estaba demasiado ocupada con el loro para darse siquiera cuenta de que se iba; desde la portería, le oyó prodigar al animal sus piropos y sus mimos, mientras sus pasos le encaminaban veloces al lugar, donde, como las otras tardes, le debía aguardar su amigo.

* * *

Pipo bajó canturreando las escaleras de la calle Mediodía hacia el arranque polvoriento de la carretera. En el chaflán, se detuvo para guardar el billete en la cartera e, instintivamente, arriesgó una mirada hacia la casa.

El inmueble que antaño perteneciera a doña Cecilia era un edificio estrecho y alto, cuya configuración conocía de memoria por haber habitado en él toda la vida. En la parte delantera, unos balcones de hierro forjado se abrían sobre la abigarrada perspectiva portuaria, adornados con tiestos de geranios y claveles; a la izquierda, la fachada era de ladrillo sin revoque y se cuarteaba ligeramente hacia el terrado. Al final de la guerra habían inscrito en ella una leyenda: POR EL IMPERIO HACIA DIOS, en gruesos caracteres negros, pero el calor y las lluvias la habían desfigurado. Ahora lucía un cartel flamante: BEBA COCA-COLA, que anunciaba una hermosa mujer de pelo rubio y cara sonrosada.

En contra de lo que temía, Antonia no había salido a espiarle. En el balcón del entresuelo estaba tan sólo Arturo quien, al verle, lo apuntó con los gemelos. Tranquilizado, Pipo devolvió la cartera al bolsillo y le saludó con la mano. Frente a la taberna, el gitano tocaba el organillo con ademán de fatiga. Su nieto agitaba la calderilla en el plato e hizo una reverencia al paso del niño. Pipo le echó una peseta rubia. Aquel gitanillo sordomudo de ojos vivaces y expresivos le angustiaba.

Rápidamente atravesó la calle en dirección a la parada de tranvía de la Vía Meridiana. Antes de llegar allí oyó pronunciar su nombre y se volvió para ver quién era.

Benjamín estaba como siempre, apostado en la galería de su casa, contemplando el movimiento de la calle con sus atemorizados ojos de niño. Vestido con un batín de seda negro, arropado hasta el cuello, parecía vivir en una atmósfera propia, distinta de la de los demás mortales, cuyo ajetreo seguía con la nariz aplastada contra el vidrio, lo mismo que un pez de un acuario. Los otros días Pipo pasaba muy de prisa y fingía no darse cuenta. Benjamín tabaleaba sobre el cristal con la punta de los dedos y el sonido era tan débil que había que aparejar el oído para captarlo. Pero aquel día Benjamín había abierto una ventanilla y, con grandes aspavientos, le suplicó que le aguardara.

Una vez, a principios del último verano, Benjamín le llamó por su nombre, como ahora, y había corrido a

abrirle la puerta con encantadora cortesía. Desde hacía
tiempo, Pipo suspiraba por conocerle y acogió su proyecto de pasar la tarde juntos con alegría mal oculta.
Sabía que Benjamín había sido amigo de su madre y
deseaba formularle mil preguntas. "Cuando tenía tu
edad — le había explicado la abuela — era un encanto
de criatura; muy tímido, vivía siempre como ensimis-
mado; pero creo que ya, entonces, estaba enfermo de los
nervios..."

Benjamín le cogió de la mano y lo llevó hasta el
puesto de helados de la esquina. "Toma, cómprate algo,
— dijo entregándole algunas monedas —. Yo voy aden-
tro a cambiarme y en seguida me reúno contigo."

El timbre cálido de su voz, unido al halagador tu-
teo y a la candidez de su sonrisa le habían hecho sentirse un hombre. Sentado en el banco de madera, le
esperó un cuarto de hora sorbiendo el cucurucho de vai-
nilla.

Benjamín había prometido traerle una sorpresa y se
preguntó, intrigado, en qué consistiría.

Su amigo se presentó al cabo de un rato, envuelto
en una gabardina azul. Con gran asombro del niño, detuvo un taxi y dio al chófer la dirección del parque. "En
esta época del año — dijo — está cuajado de flores y
entre los arbustos se forman verdaderos nidos."

El automóvil se detuvo en una de las curvas del
circuito y Benjamín entregó una buena propina al taxis-
ta; luego, cogiéndole de la mano, lo llevó a un bosque
de laureles. Eligió un pequeño claro sobre el que extendió la gabardina y, familiarmente, le invitó a tomar
asiento.

Con sumo cuidado sacó de su bolsillo un pañuelo
de seda, y lo deshizo con dedos temblorosos. Pipo se
había sentado enfrente de él y, al ver el contenido, su
rostro se coloreó de emoción. El pañuelo estaba lleno

de gruesas bolas de vidrio, relucientes como lágrimas de
araña, sobre las que un artista se había entretenido
en realizar prodigiosos dibujos. Pipo se frotó los ojos
varias veces, convencido de asistir a algún milagro.
Siempre le habían gustado las bolas de vidrio y aquéllas eran, sin duda, las mejores que había visto en su
vida.

Benjamín las hacía girar con lentitud, como para
dar realce a sus cualidades, de forma que los rayos de
sol que atravesaban el celaje de las nubes inventasen
reflejos milagrosos sobre sus formas cambiantes. Sucesivamente, Pipo vio los siete colores del espectro desha-
ciéndose en hilachas menudas, mientras las bolas se re-
vestían, con independencia del giro, de un atornasolado
halo blanco.

"¿Te gustan? — decía Benjamín, agitando el pañuelo ante su cara —. ¿Quieres que te las regale?", y él había tenido que decir que sí con la cabeza, porque no
lograba articular una palabra. Las bolas, con sus destellos cegadores y sus exóticos dibujos, le producían
extraña fascinación. Benjamín las hacía entrechocar en
el pañuelo, y el tintineo, sin saber por qué, le obsesio-
naba.

Como hipnotizado, contemplaba los dibujos conforme se proponían a su vista. Durante unos segundos
observaba una cabeza diminuta, con pestañas en forma de margarita y cabellos retorcidos como algas;
luego, una lagartija con plumas, pintadas de negro por
arriba y de encarnado por abajo. Benjamín hacía girar
las bolas tan de prisa que apenas tenía tiempo de des-
cifrarlas.

"¿Las quieres? — repetía sin dejar de agitarlas —.
¿Quieres que te las regale?" Pipo no podía inclinar
afirmativamente la cabeza y se contentaba con implorar
con los ojos. "Sí, sí, las quiero, las quiero más que nadie

y que nada." Benjamín repetía su risa aguda y las bolas emitían brillantes destellos, heridas por el sol.

No sabía cuánto tiempo habían durado las risas de Benjamín y el tintineo de las bolas que entrechocaban: si largo rato o sólo unos instantes. El recuerdo que guardaba de aquellos momentos era confuso y se desleía en la bruma como algo muy lejano. Lo cierto era que, cuando se dio cuenta, Benjamín había dejado de reír, lo mismo que si su risa hubiese sido algo postizo, y le miraba, a su vez, como hasta entonces le había mirado Pipo, con ojos angustiados y tristes.

Su mano esbozaba todavía el ademán de ofrendarle las bolas, y Pipo no pudo resolverse a aceptarlas porque, ahora, Benjamín también suplicaba. Aunque amordazados por el espanto, sus ojos decían a las claras que Pipo tenía que darle algo a cambio de su regalo; algo cuya posesión anhelada frenéticamente y que no osaba formular con palabras.

El pañuelo se escurrió entre sus dedos, las bolas rodaron cuesta abajo y Pipo creyó ser víctima de un mal sueño: furiosamente deseó correr en su búsqueda, pero la expresión de terror de Benjamín le paralizaba; quería levantarse y no podía; deseaba lanzarse tras del tesoro y permanecía clavado.

El maleficio se había prolongado aún unos segundos y, de pronto, los ojos de Benjamín se aguaron. "No puedo — decía como para sí mismo —, no puedo." Pipo estaba a punto de llorar también porque le dolía la angustia de su amigo y se sentía culpable de no poder remediarla. "No llores — quería decirle —. Eres mi amigo y deseo ayudarte." Benjamín, vencido, ocultaba su rostro. "Perdóname, Pipo, perdóname — decía. Hasta que también a él le habían brotado las lágrimas. Y, juntos, habían llorado los dos, mientras el cielo, como por ensalmo, se cubría de negras nubes y los arbustos iniciaban una danza convulsionada —. Crece. Hazte hombre. No hagas caso de los que quieran llevarte a sitios alejados." Las ráfagas coléricas del viento y el histérico chillido de las aves le impidieron continuar. Iba a llover, llovía ya, el aire entero convertido en un mar de agua.

Cogidos de la mano habían corrido velozmente por las veredas encharcadas hasta la primera parada de taxis. Dentro del coche, Benjamín temblaba de frío y, durante todo el trayecto, no dijo una palabra. Al llegar a la calle Mediodía hizo parar el taxi y le tendió tímidamente la mano. "Lo siento por las bolas — dijo —. Te lo juro, me habría gustado regalártelas."

Era la última vez que habían hablado, y Pipo recordaba todavía la expresión de su rostro: estaba húmedo, no sabía si de lluvia o de lágrimas, y le pareció, como nunca, huérfano y triste.

No, no cabía duda, Benjamín era un niño; un niño disfrazado que se entretenía en dibujarse arrugas con carbonilla y en teñirse las sienes de blanco; y, al igual que los otros niños, no lograba engañar a nadie y bastaba mojarle un poco el rostro para descubrir su diablura. Ahora, Benjamín acababa de llamarle igual que el primer día y, a contrapeso, Pipo se vio obligado a obedecer. Temía llegar tarde a la cita y se preguntó si tendría que esperar mucho tiempo.

Por fortuna, Benjamín se presentó al cabo de poco, vestido con gran elegancia. Parecía de un humor magnífico y le estrechó cordialmente la mano.

—Lo sé, lo sé, tienes prisa y te fastidio. Permíteme tan sólo que te acompañe unos instantes.

Al llegar a la esquina entró un momento en el colmado y regresó con una bolsa de caramelos.

—Toma — dijo —. Un pequeño obsequio. Así podrás comerlos mientras caminamos.

—Se lo agradezco mucho — repuso Pipo —. Tengo que ver a un amigo en el puerto y, si no me doy prisa, voy a llegar tarde.

—Bah —exclamó Benjamín—. Lo encontrarás aunque llegues con una hora .de retraso. Los camaradas siempre nos aguardan.

Le cogió por el brazo, oprimiéndole ligeramente con los dedos y le arrastró hacia una calle paralela a la Vía Meridiana.

Pipo no se atrevió a protestar. A veces, Benjamín sabía infundirle respeto, casi pánico.

—¿Vamos lejos?

Benjamín no le hizo ningún caso.

—Anda, cómete un caramelo. Me entristece verte con esta cara.

Haciendo un esfuerzo, Pipo logró sonreír. Su amigo, no obstante, se había dado cuenta de su desgana y lo enlazó cariñosamente por el hombro.

—Pequeño impaciente — dijo —. Que se muere de ganas de ver a su amigo y le molesta acompañar a un viejo camarada.

—No, no es eso — repuso Pipo —. Al contrario. Salir con usted me encanta. Pero hoy me es imposible. Tengo una cita a las seis y llegaré con gran retraso.

—Si es por eso, no te preocupes. Sólo voy a retenerte un minuto. Luego te daré dinero para que puedas ir en taxi.

—Si hubiese sido otro día... — insistió Pipo.

—No. Debía ser precisamente esta tarde. Hacía más de dos horas que estaba en casa aguardando un milagro del cielo y, tú, querido niño, has sido este milagro.

Imposible entender una palabra de lo que decía. Aburrido, Pipo renunció a escucharle.

—¿Vamos aún muy lejos? — se limitó a decir.

—Oh, no. Hasta el chaflán de la próxima manzana.

Benjamín se detuvo veinte metros más lejos y le señaló un café con una terraza sobre la calle.

—Se trata de hacerme un gran servicio — aclaró —. Un favor que te pido como amigo.

En pocas palabras, le explicó que debía ir al lavabo del café y traer un papelito oculto en la muelle de la puerta. El papelito contenía un mensaje destinado a Benjamín y debía obrar con cautela, para que nadie se enterara.

—Yo soy demasiado conocido, ¿comprendes? Mi presencia provocaría numerosos comentarios.

—¿No tengo que hacer nada más?

—No, nada, simplemente coger el papelito y entregármelo. Yo te espero allí, en la farmacia.

Pipo se encaminó hacia el café, convencido de que Benjamín estaba completamente chiflado. Su misión era absurda; pero no le quedaba otro remedio que cumplirla. El interior del local era de forma rectangular y estaba iluminado con luz fluorescente. Respondiendo a su pregunta, el camarero le señaló una puerta con el dedo.

Pipo se aseguró de que no le seguían y exploró el lugar. Tal como decía Benjamín, en el intersticio existente entre el muelle de la puerta y el paramento del muro había un rectángulo de papel doblado, sujeto con una goma. Mientras orinaba no pudo resistir la tentación de darle un vistazo.

El papel contenía un plano del Parque de la Montaña, señalado en el centro con una crucecita. Debajo, pergeñada con una letra torpe, había una inscripción: "El martes, a las siete menos cuarto", seguida de una firma ininteligible.

Decepcionado, volvió a doblar el mensaje y lo ocultó en el bolsillo de su pantalón. Luego, descorrió el pestillo de la puerta y salió tranquilamente a la calle.

Conforme había dicho, Benjamín le esperaba en la farmacia. Estaba pálido, muy pálido y saludó su llegada con un amago de risa.

—Querido niño.

Sin leerlo, guardó el mensaje en el bolsillo de la chaqueta y le acompañó en silencio hasta la parada de taxis.

—Anda, vete — dijo, entregándole un billete arrugado —. No quiero que, por mi culpa, hagas esperar a tu amigo.

* * *

Norte dejó de aventar el fuego del hornillo y subió por la escalera a cubierta. La puerta de acceso al muelle estaba abierta de tal modo que podía contemplar la explanada en toda su extensión. Aunque a aquella hora estaba casi vacía, no vio al Gorila por ningún lado.

En la barca vecina, los pescadores se lavaban delante de una tinaja, frotándose la piel con un cepillo. Casi todos vivían en tierra firme y se mudaban de traje antes de saltar al muelle. Otros se alejaban en grupos hacia el tranvía. Los que dormían a bordo no demostraban tanta preocupación por el aliño; no tenían mujer ni hijos en la casa y se limitaban a zampuzar la cabeza para sacarse la sal del pelo; recostados en la amurada, aguardaban a que el sol se pusiese para preparar la cena.

Durante unos segundos, Norte contempló el muelle de atraque, cubierto por los tinglados del Consorcio, con los anillos metálicos en donde se hacía la subasta, las inmensas pilas de cajas de madera y las cestas de junco que, en verano, servían de petate a los mendigos.

No, no iba a volver. Seguramente se había quedado en la bodega bebiendo y ya no regresaría a bordo antes de la madrugada. Se acordó de las palabras del patrón ("Buen hombre, pero informal"), y arrugó la nariz de disgusto. Hacía más de una hora que había saltado a tierra a hacer algunas compras y, como la semana anterior, le dejaba tranquilamente sin cena.

"En seguida vuelvo", había dicho.

"En seguida." Norte conocía muy bien la interpretación que daba a esta palabra. En una ocasión el Gorila se había ausentado "por unos minutos" y no había vuelto a verle el pelo durante tres días. Como guardaba en el bolsillo la paga de la quincena era capaz de haber ido a buscar a su amiga para correrse una juerga. Por si fuera poco (sus defecciones se realizaban siempre con alguna agravante) aquella noche se le había ocurrido invitar a bordo a un amigo; aquel niño tan fino que regalaba puros y que pretendía vender por hermano; Pipo, le llamaba, eso era: Pipo.

Decidamente, con el Gorila no se podían hacer planes. Iba, venía, salía, entraba, a la ventura de su capricho e inspiración. Imposible enfadarse tampoco: siempre tenía excusa. La falta de formalidad era algo congénito en él y no había más remedio que resignarse a soportarla.

Mientras aventaba el hornillo se entretuvo en evocar las circunstancias de su encuentro. Norte estaba en la cubierta del "Venadito", poniendo en salmuera las sardinas recién pescadas y le había llamado la atención aquel desconocido gigantesco que contemplaba su industria con los brazos cruzados. El hombre tenía todo el aspecto de un oso, de un oso vestido con harapos, con pies que parecían habituados a caminar siempre al desnudo. Se había sentado en un noray, de cara al mar, tocado con un sombrero de paja y parecía seguir con interés vivísimo su procedimiento de salar el pescado.

Tras unos segundos de indecisión, Norte le hizo una seña con el brazo. La plaza de piloto del "Venadito" estaba vacante desde el mediodía y necesitaba encontrar un sustituto aquella misma noche. El hombre bajó a bordo sin apresurarse y avanzó hacia él con el sombrero en la mano.

—Eh, amigo — dijo Norte —. ¿Le gustaría salir de pesca?

—¿Que si me gustaría? — exclamó —. No he hecho otra cosa durante toda mi vida.

Le tendió unas manos enormes, endurecidas por el trabajo, y le mostró las cicatrices que las marcaban.

—Cuando me embarqué por primera vez tenía catorce años. Mi padre fue pescador hasta los sesenta. El mar se ha llevado a mis dos hermanos mayores.

Apoyando sus palabras con hechos, le pidió la navaja y empezó a limpiar sardinas con manifiesta pericia. Norte le dejaba hacer balanceando su pierna inválida y, al cabo de un rato, se aventuró a preguntar:

—¿Ha cenado usted?

—No he probado bocado desde anteayer.

Sentados en el muelle, bajo los focos amarillos del tinglado, comieron con gran apetito. El Gorila habló durante toda la noche y le contó de pe a pa su historia. De este modo, Norte se enteró de la infidelidad de su mujer, razón por la cual, dijo el Gorila, había dejado el pueblo.

—Total — concluyó, alzando el porrón —. Que mi hermano se fue a vivir con ella y ya no los he vuelto a ver.

—A lo menos — observó melancólicamente Norte — todo ha quedado en familia; mientras que yo...

Como movido por una fuerza ciega le esbozó, también, el cuadro de sus desgracias: su mujer se había separado de él tras el accidente de la pierna; después de acostarse con los hombres del barrio se había ido a Valencia y trabajaba allí de prostituta.

—En pocas palabras: también me hizo cornudo a mí.

—Cosas peores hay — concluyó filosóficamente el Gorila.

El reloj del muelle señalaba la una en punto; había llegado el momento de dormir y Norte le preparó un colchón.

—Mañana saldremos a las seis — dijo —. Duerma tranquilo; yo mismo me encargaré de despertarle.

El Gorila estaba acostumbrado a la pesca de arrastre, pero demostró conocer a fondo las artes fijas.

Manejaba el timón con gran maestría y localizó en seguida las boyas. Norte comprobó también que tenía una fuerza prodigiosa y no necesitaba ayuda para halar. La pesca resultó aquel día muy abundante y regresó del Consorcio con más de veinte duros.

—Toma — dijo, entregando al Gorila un billete de cincuenta —. Desde ahora partiremos las ganancias.

Poco a poco los dos hombres se habían vuelto inseparables. Norte vivía en el "Venadito" y el Gorila dormía allí la mayor parte del tiempo. A veces, durante noches enteras, correteaba por las tabernas del barrio y regresaba a la hora de embarque completamente borracho. Pero era preciso reconocer que en estos casos tenía gran aguante y su trabajo no se resentía en lo más mínimo.

Meses después se había liado con una mujer y, desde entonces, alternaba la yacija de la cámara, con el lecho, más blando, de los hoteles por horas. Tuvo un hijo, y Norte fue invitado a la fiesta. El amo, al enterarse, le dio quince días de permiso y, durante su transcurso, el tiempo se le hizo larguísimo a Norte.

La vida le resultaba insoportable sin la presencia

del Gorila; pese a su mal humor, su terquedad, sus embustes, su continua falta de palabra, estos defectos pesaban muy poco cuando, a la hora de la **verdad, los** contraponía a sus cualidades. En fin: si quería emborracharse, que se emborrachara; puesto que lo hacía con su dinero, podía disponer de él como le diera la real gana.

El carbón del hornillo había prendido totalmente y Norte vació en la sartén el contenido de la alcuza. Desgranó sobre el aceite unos dientes de ajo y aguardó a que se pusieran bien dorados. Entonces arrojó encima los garbanzos sobrantes del mediodía y revolvió cuidadosamente el conjunto con el cubierto de madera.

Si el Gorila pensaba darse entonces un gran banquete, tampoco él iba a quedarse manco. Guardaba en el armario media docena de arenques y los metió en la cazuela con el sofrito. Al acabar, cogió un pedazo de pan de la bolsa y se instaló cómodamente en la escotilla.

No había empezado todavía a comer cuando vio aparecer por el muelle al Gorila seguido del muchacho. Su compañero volvía con la cesta llena de paquetes y Pipo llevaba una botella de tinto en cada mano. El Gorila se detuvo unos segundos, bajo los tinglados, a charlar con un pescador. Pipo aprovechó la oportunidad para adelantarse y darle la noticia.

—Mi hermano ha comprado un sinfín de cosas — dijo, depositando las botellas junto a las bitas —. Como tengo tiempo hasta las diez, podremos cenar los tres juntos.

El Gorila había saltado detrás de él y Norte adoptó la decisión de ignorarle. Tranquilamente, se llevó a la boca una cucharada de garbanzos y se sirvió una buena ración de vino.

Hubo un minuto de silencio durante el que el Gorila examinó sucesivamente el fuego apagado del hornillo, la sartén sucia y la cazuela llena de garbanzos. Inmediatamente dejó en el suelo el cesto de la compra y se plantó frente a Norte:

—¿Puede saberse qué coño significa esto?

Norte volvió a llevarse a la boca otra cucharada de sofrito.

—Como tardabais tanto tiempo en venir — repuso —, supuse que habías cambiado de planes.

Se disponía a servirse más vino, pero el Gorila le arrebató el porrón de la mano.

—¿Quieres explicarme, entonces, qué carajo te hacía suponer que habíamos cambiado de planes?

Norte señaló con el dedo el reloj luminoso de la torre.

—Te marchaste de aquí antes de las seis, diciendo que volverías al cabo de un instante. Mira el reloj: las ocho menos cuarto.

—Yo no te dije cuánto tardaría — repuso el Gorila —. Sólo te dije que iba a comprar algunas cosas al mercado; quedamos en que, a la vuelta, tendrías dispuesto el fuego.

—Oh, quedamos, quedamos… Te lo he oído repetir tantas veces que ya no te hago ningún caso. La semana pasada dijiste lo mismo y me dejaste sin cena. Te habías emborrachado por ahí con la Juanita y no regresaste hasta después de madrugada.

—Si no fuera porque tienes la edad de mi padre, te juro que te molía el cuerpo.

—Hazlo, anda — dijo tranquilamente Norte —. ¿Qué esperas?

Al Gorila se le hincharon las venas de la frente, pero continuó cruzado de brazos.

—Hasta hoy he tenido demasiada paciencia contigo, pero esta jugada no voy a perdonártela.

—Como puedes comprender — dijo Norte —, no iba a acostarme con el estómago vacío.

—¿Y quién dice que ibas a acostarte con el estómago vacío?

—Pues no sería la primera vez que me ocurre... Además, te repito que estaba cansado de esperaros...

—Vamos, anda — dijo el Gorila —. Lo mejor que puedes hacer es achantarla. Cualquier otro — añadió, volviéndose hacia Pipo — en su lugar, habría callado; él, no. Norte no se equivoca nunca. Aunque se lo demuestren cuarenta veces siempre quiere tener razón.

El niño se había sentado en un rollo de cuerdas y les contemplaba, afligido.

—Me parece que el hornillo no está apagado del todo — dijo. Pero nadie le hizo ningún caso.

—Por si fuera poco — observó el Gorila, deseoso de añadir nuevo fuego a la pelea —, habíamos invitado a mi hermano y por tu tacañería se quedará sin comer.

—Si me hubieses avisado que volvías tarde no habría tenido ningún inconveniente en aguardaros, aunque fuese hasta las diez; pero como dijiste que volvías en seguida...

—Calla. Al menos calla. Si has metido la pata hasta arriba, ten al menos el buen gusto de callarte.

—El fuego no está apagado del todo — dijo de nuevo Pipo.

Su intervención produjo un efecto contrario al buscado: el Gorila lo señaló a la atención de Norte con un ademán patético.

—El chico había hecho una serie de gastos para obsequiarte y por tu culpa ha perdido más de cinco duros.

—El dinero no tiene ninguna importancia — comenzó Pipo; pero el Gorila no le dejó continuar.

—Fíjate; el pobrecillo quiere disculparte... Vergüenza debería darte haberle tratado de este modo, haciéndole tirar el dinero por tu maldita tacañería.

—Nadie ha hablado de tirar el dinero—estalló Norte —. Si queréis que os encienda el fuego, os lo encenderé. Y tan amigos como antes.

—Ah, eso sí que no — dijo el Gorila —. ¿Favores hechos a regañadientes? Nunca. Mi hermano prefiere acostarse en ayunas antes que mendigar un favor.

—Yo creo... — intentó decir Pipo.

—No quiero que te dejes faltar por nadie. Si ese cabrón te ha ofendido una vez, te juro que no volverá a hacerlo dos veces.

—Está bien — dijo Norte —. Haz lo que tú quieras.

—Anda, vuelve a comer... — invitó el Gorila —. A mi hermano le hará mucha gracia.

Los ojos de Norte se velaron. Casi a tientas, asió la cazuela con ambas manos y la estrelló contra la pared del muelle.

—¡Toma! — dijo, volviéndose hacia el Gorila —. ¿Es eso lo que querías? — Se atragantó —. Pues ya lo has logrado.

Su compañero no pareció muy impresionado por el gesto. Tenía el cesto de la compra al alcance de la mano y lo arrojó también por la borda, cuidando de que cayera al agua.

—Si calculabas salir ganando con el cambio — dijo con expresión maligna —, el tiro te ha salido por la culata.

Norte se puso de pie de un salto y lo contempló lleno de ira.

—Si no fuera por la pierna... — tartajeó —. Si no fuera por la pierna...

—Me gustaría saber qué hubieses hecho — observó su compañero.

—Molerte — exclamó Norte con voz ahogada — molerte a palos.

* * *

Con gran sorpresa del niño la tormenta amainó en cuanto se alejaron. El Gorila torció hacia la izquierda, por el camino del muelle y se detuvo junto a un rollo de cuerdas adosado a la garita de los guardias.

—Norte es la tozudez personificada — dijo después de tomar asiento —. Cualquiera de nosotros, en su lugar, hubiese candado el pico, pero él, en su vida ha dado el brazo a torcer.

—De todos modos — observó Pipo —, creo que nos retrasamos demasiado en la taberna.

—Con retraso o sin retraso, aquélla no era forma de recibirnos.

—Sentiría que por nuestra culpa se quedara sin cenar.

—Pierde cuidado; ya se les arreglará de alguna manera. Si no encuentra nada en la cocina, irá a pedir por las barcas.

—¿Tú crees que se habrá enfadado conmigo? —preguntó el niño al cabo de un rato.

—¿Enfadado contigo? — exclamó el Gorila —. Si es un pedazo de pan... Cuando vuelva, apuesto cualquier cosa a que me saludará como si nada hubiese ocurrrido.

"Oh, ya sé que yo también tengo un carácter difícil; pero no quiero que me falte nadie. Y cuando una cosa me parece mal lo digo, aunque sea el mismísimo Papa de Roma.

"Norte mete a menudo la pata, pero sabe olvidar en seguida. Si no fuera así, hace más de un año que no me vería el pelo. En cualquiera de las barcas que pescan al "bou" ganaría más del triple que al trasmallo; pero me apena dejarle solo.

"El otro día le dio un vahído mientras estaba en el bar de la tía Marina y tuve que llevármelo a bordo del "Venadito", cargado, en una cesta, a mis espaldas.

"Da risa pensar lo poco que pesaba.

"Aunque era de noche, la gente se agolpaba a vernos. Figúrate: Norte metido en una cesta, más blanco que un pavo desplumado y yo, con una barba de diez días, cargando la cesta sobre el hombro.

"Al llegar a bordo el pobrecillo quería abrazarme. Lloraba... Fíjate: lloraba. Se volvía hacia mí y me decía: «Gorila, ya voy para viejo y el día en que yo falte no sé quién cuidará de la barca. Si algo me quieres, prométeme una cosa: que cuando yo muera continuarás en ella pase lo que pase».

"Y así tuve que prometérselo para tranquilizarlo.

Acurrucado a sus pies, Pipo le contemplaba con expresión atenta. El modo de narrar las historias de su amigo le agradaba muchísimo. Como un actor de teatro dosificaba los efectos y recurría a cambios de mímica, de forma que, en lugar de ser sólo la voz, participase en el relato el cuerpo entero.

El Gorila se había cansado de hacer el panegírico de Norte y señaló un hombre que, provisto de una lata de aluminio, hurgaba en los barriles de aceite vacíos.

—Mira — dijo.

El hombre desenroscaba una a una las tapas de los barriles e introducía en ellos una caña con un algodón en la punta. Después de remover un buen rato, volvía á sacar la caña y escurría el algodón empapado en la lata de aluminio.

—De este modo — dijo, riendo, el Gorila — vende el aceite a las tiendas y se gana todos los días el pan.

Pipo seguía los manejos del hombre, divertido. Verdaderamente, había oficios extraños. Se acordó del gitano del organillo y de sus chapuzas de feriante. Durante mucho tiempo su trabajo consistió en arreglar mulas ajenas — lavarlas, retocarlas, ponerles parches y remiendos —. Así se lo contó al Gorila, añadiéndole otras muchas cosas de su invención, y su relato tuvo la virtud de devolverle la alegría. Cogiéndolo familiarmente por el cuello, su amigo lo llevó hasta la Vía Meridiana.

Se embocaron por una calle muy estrecha. Como oscurecía, los bares empezaban a espabilarse. A aquella hora, estaban llenos de hombres y mujeres recién venidos del trabajo, que bebían, batían palmas, cantaban. Entre ellos, muchos conocían al Gorila y, al verlo, lo saludaban con el brazo. Algunos venían a su encuentro y le preguntaban por el niño.

—Es mi hermano pequeño — replicaba el Gorila sin inmutarse.

La tasca se llamaba Gran Bodega Alicantina y el Gorila le señaló su emplazamiento con el dedo. Situada en el cruce de dos calles, dos puertas vidrieras desprovistas de cristales permitían trasver cuanto ocurría dentro. En el momento en que entraron se incubaba una disputa entre dos viejos, pero su llegada obró el prodigio de desviar hacia ellos la atención de todo el mundo.

—Hola, Gorila.

—¿Qué viento te trae?

—¿De dónde has sacado este niño?

—¿Quieres decirnos cómo se llama?

Los dos amigos se instalaron en la única mesa desocupada, eludiendo las preguntas de los que se agolpaban en el bar. El Gorila aguardó a que el niño se sentase y palmeó.

—Mi hermanito está muerto de sed.

Del vecino grupo de pescadores se elevó un coro de risas.

Los hombres habían interrumpido su partida de julepe y observaban al niño. Consciente de su atención, Pipo fingía una reserva discreta y aprovechó el saludo de uno para devolverle una sonrisa llena de confianza.

La propia doña Rosa que, ordinariamente, enviaba a su marido a recoger los encargos de las mesas, considerando que la situación revestía caracteres excepcionales, abandonó su sitial de la barra y acudió, sonriente, hacia ellos.

—¿Verdaderamente son ustedes hermanos? — exclamó.

El Gorila se sentía halagado por la atención y aguardó dolosamente unos segundos para mantener la espera.

—Hermanos, sí — repuso —, pero de distinto padre.

Hubo un breve silencio durante el cual doña Rosa les contempló alternativamente, como buscando establecer un paralelo.

—Realmente parece un milagro — concluyó —. Hay que ver... Con lo hermoso que es este niño...

Los pescadores de la mesa vecina expresaron su aprobación con una risotada.

—Parece tan fino... — continuó doña Rosa —, tan educado...

El niño miraba hacia el techo, fingiendo no conceder demasiada importancia a lo que oía.

—¿Cómo te llamas, rey mío?

—Eduardo. Pero mis amigos suelen llamarme Pipo.

—Un encanto de criatura — definió —. Un verdadero encanto.

Volviéndose hacia el Gorila, con los brazos en jarras, dijo con fingida furia:

—¿Puede saberse por qué teniendo una joya de hermano como tiene usted, lo ha mantenido tan oculto?

—Estaba en el pueblo, estudiando y no ha venido aquí hasta hace unos días.

—¿Ah, sí? — exclamó doña Rosa, sonriendo a Pipo —. ¿Y qué estudios seguías?

—Provisionalmente — mintió el niño — hacía el bachillerato. Pero ahora quiero ser ingeniero.

Asombroso. Verdaderamente increíble. Doña Rosa se encaró con su compañero en medio de la expectación de los reunidos.

—¿No le da vergüenza tener un hermano menor que usted, y a pesar de ello cien veces más listo?

El Gorila rió complacidamente bajo sus enhiestos bigotes.

—¿Qué quiere usted que haga? — dijo —. Así es la vida. El muy bandido arrambló con toda la inteligencia y no me dejó ni una pizca. Fíjese si debía ser animal, que mi madre no quiso llevarme nunca a la escuela. "Con la cara que tienes — decía —, darías un susto al miedo."

Miró a Pipo como buscando confirmación a sus palabras.

El niño se apresuró a corroborarlas con un cabezazo.

—A los catorce años — afirmó — ya era tan grande como ahora y debía afeitarse el bigote dos veces al día.

—Mi madre tuvo que meterme vino en el biberón — prosiguió el Gorila — porque le sequé la leche en tres semanas. En lugar de papilla, me daba sobreasada. Al año de nacer pesaba catorce kilos.

Doña Rosa contempló con mal disimulada admiración su recia musculatura.

—Comprendo perfectamente que su madre se quedase muy descansada al ponerle al mundo, señor Gorila — exclamó en medio de grandes risas —. Su marido le hizo lo que se llama una faena.

Algunos pescadores expresaron su opinión sobre el caso. Doña Rosa fingió no oírles siquiera.

—En cambio — afirmó, señalando a Pipo —, me gustaría tener un hijo como él. Con su cara, su voz, sus mismos gestos...

—Pues no le daría a usted poco trabajo — le interrumpió el Gorila —. Con la ciencia que lleva dentro... A veces debo pedirle que me explique las cosas porque me armo un lío.

—Pero Pipo sería bueno con su mamita — dijo doña Rosa — y le enseñaría lo que sabe, ¿no es verdad, tesoro?

Luego, acordándose de que el marido estaba solo en la barra y era la hora de máxima afluencia, preguntó:

—¿Qué van a tomar?

El Gorila sacó un tebeo del bolsillo y lo desplegó sobre el velador de mármol.

—A mí, deme un porrón de tinto. A él, tráigale una cerveza.

Durante unos minutos, Pipo se entretuvo en paladearla, dejando formar sobre sus labios una bocera de espuma. Su compañero leía las historietas del tebeo con gesto regocijado. El local estaba iluminado por media docena de bombillas de gran voltaje y unas pantallas de porcelana en forma de plato mantenían el techo en la penumbra. Adosados a la pared del fondo había gran número de barriles de duelas oscuras y cellas herrumbrosas. A pesar de que los grifos parecían bien cerrados, alguien había puesto debajo unos platillos y el vino que se escurría de los toneles formaba en ellos charquitos de colores, en donde la luz se reflejaba con tornasoles muy lucidos.

Momentáneamente, Pipo tuvo la impresión de que el vino rezumaba por todas partes: como una humedad, alimentaba las manchas parduscas del suelo, los líquenes que crecían en las paredes y hasta las telarañas en forma de estalactita que pendían del techo; junto a la barra, un hombre dejó caer su vaso y extendía vorazmente sus tentáculos lo mismo que un pulpo.

En la mesa del extremo se había armado cierto alboroto y Pipo se incorporó de la silla a ver. Dos pescadores jóvenes, sentados uno frente a otro, tentaban la fuerza de su pulso con los codos apoyados en el velador de mármol. Pipo conocía las reglas del juego por haberlo practicado él mismo con otros niños y, por el aspecto físico de los contendientes, dedujo que el combate iba a ser duro.

Al verlos, el Gorila dejó de interesarse por las historias del tebeo. Durante un par de minutos mantuvo el porrón alzado, para darse fuerzas, y al bajarlo, con gran contento de Pipo, hizo chascar la lengua. Aquello significaba la adopción de una medida importante y el niño le siguió hasta la mesa en donde pulseaban poseído de una dulce expectativa.

Sabía por Norte que el Gorila había sido campeón de pulso y deseaba ardientemente que se le brindara la ocasión de demostrarlo. Apoyado en el respaldo de una silla, siguió con atención las incidencias del combate. Los luchadores mantenían los antebrazos verticales e intentaban rebajarse mutuamente la mano hasta la mesa. Al fin, la muñeca del más grueso empezó a ceder. Su rival avanzaba pulgada a pulgada y su triunfo fue acogido con vítores.

El Gorila le desafió a una partida con una botella de premio y, aunque el mozo tenía mucho nervio, el

Gorila le dobló la muñeca. Hubo otro aplauso seguido de nueva apuesta. El Gorila tenía el rostro encendido, pero venció fácilmente una vez más. Todavía probaron fortuna un tercero y hasta un cuarto, mientras las apuestas crecían de tal modo que el Gorila se aseguraba la bebida de todo el mes. La propia doña Rosa había abandonado la barra para verle y le felicitó personalmente.

Pipo vivió una jornada inolvidable. Su amigo decidió invitar a vino a todos sus camaradas. Los porrones corrían libremente por las mesas y no se detenían siquiera ante el niño. El Gorila lo había hecho sentar encima de sus rodillas y le dio consejos solemnes con voz carrasposa. Tampoco Pipo sabía bien lo que se hacía y se sorprendió en el regazo de doña Rosa, contándole historias falsas.

Finalmente el Gorila lo escoltó a lo largo de las callejuelas hasta la parada del tranvía y aguardó la llegada del vehículo para hacer, entre otras cosas, aquella que Pipo amaba más: levantar el brazo, cuando el cobrador daba la señal de partida y hacerle, como los otros días, un adiós, cada vez más pequeño, con la mano.

CAPÍTULO TERCERO

Cuando el primer día de curso Piluca descubrió que
   don Rafael Ortega era su nuevo profesor de Matemáticas, se llevó una de las mayores sorpresas de su
vida. Sabía, como todos sus familiares, que el señor de
los bajos se dedicaba a la enseñanza, pero jamás se le
había ocurrido la idea de verlo un día allí, en el sitial
de la tarima, con su chaqueta color tabaco, su impe-
cable cuello duro (que, según decía Antonia, él mismo
lavaba y almidonaba) y su aspecto abstraído de viejo lu-
nático.

Al correr la noticia de que eran vecinos de escalera, las otras niñas acudieron en tropel a interrogarla,
pero — forzoso era reconocerlo — sus respuestas habían
decepcionado. Aunque, desde el segundo matrimonio
de su padre, vivían en la misma casa, Piluca ignoraba
todo respecto de su vida y la mayoría de los informes
que poseía eran de segunda mano. Sabía tan sólo, por
medio de la criada, que no tenía nada que ver con los
inquilinos y que, desde hacía siete años, vivía realquilado con ellos.

En cuanto a su vida privada, constituía un misterio, aun para sus amigos. Según afirmaba don Paco,
su esposa había sido enfermera en el frente rojo y
había muerto durante un bombardeo de los aviones
nacionales. Otros rumores pretendían que Ortega era

un ex catedrático de Instituto, cargo del que había tenido que dimitir al concluir las hostilidades. Lo único que se sabía a ciencia cierta era que vivía de dar clases particulares a media docena de alumnos y que, exceptuando su visita obligatoria al Instituto Ceferino González, nunca salía de casa.

Desde un principio, Ortega se había granjeado las simpatías de la clase: con su expresión ausente, su indumentaria absurda, daba la impresión de pertenecer a un mundo radicalmente distinto del de los demás colegas que desfilaban por las aulas. Como profesor, Ortega ponía, indudablemente, gran paciencia en la explicación de las Matemáticas, asignatura que, junto con la Geografía, había recibido el encargo de enseñarles. En cambio, parecía desentenderse totalmente de las pequeñas cuestiones de disciplina, a las que sus compañeros otorgaban tanta importancia.

Por ejemplo, se le importaba una higa que las niñas hablasen a la hora del estudio, no se tomaba nunca el trabajo de vigilar si copiaban, ni tenía ningún reparo en concederles un descanso a media lección. Y, a pesar de ello, su clase era la única en que ninguna niña hablaba, soplaba su respuesta a la vecina o tenía prisa en abandonar el aula.

El profesor Ortega (a quien, según la generalizada opinión de los vecinos, le faltaba algún tornillo) sabía alternar las explicaciones más áridas con anécdotas escogidas de la historia de España, distintas, por no decir opuestas, a las que contaban los otros maestros la víspera de las grandes solemnidades escolares; y aunque la mayor parte de las veces la moraleja les resultaba incomprensible, todas estaban de acuerdo en reconocer que, a lo menos, jamás carecían de interés.

Ordinariamente, el profesor se hacía esperar un poco al comienzo de la clase y no entraba en el aula hasta después de concluidos los padrenuestros. A veces cargaba la culpa del retraso a cuenta del mal funcionamiento de los tranvías; otras, no tenía ningún reparo en confesar "que se le habían pegado un poco los sábanas". Su proverbial falta de puntualidad había llegado a ser, incluso, la comidilla de los restantes profesores, que aludían a ella con una piadosa mezcla de ironía y reproche. Por eso, cuando al entrar en el aula las niñas lo hallaron cómodamente instalado en el sillón de la tarima, no dudaron ni un solo momento de que iban a presenciar algo importante.

Con asombro, descubrieron que en un ángulo de la tarima había una taza de café y que el plumero de la mesa estaba cubierto de colillas. Ortega había cerrado herméticamente las ventanas y el aire apestaba a humo. El profesor tenía cara de no haber pegado un ojo durante la noche y, a simple vista, se veía que ni se había afeitado siquiera. Mientras las niñas desfilaban ante la mesa dando los buenos días, aplastó la última colilla en el plumero y la arrojó a la cesta de mimbre situada delante del primer banco. Las chiquillas se habían quedado de pie, aguardando su señal para rezar la oración de la mañana. Él les hizo un ademán con la mano, indicando que podían tomar asiento. Luego, limpió con el pañuelo el cristal de sus gafas y, en medio de un silencio sobrecogido, anunció:

—La clase de hoy queda suspendida. En su lugar, si a ustedes les parece, podemos charlar unos minutos.

El escuadrón de niñas grises que ocupaba la triple hilera de bancos le contempló con la boca abierta. Ortega no parecía bromear en modo alguno y su seriedad les causaba un ligero espanto.

—En primer lugar —dijo después de una breve pausa —, permítanme que las felicite por la maravillosa disciplina de que dan muestra al presentarse puntualmente, en una hora tan poco grata, para escuchar mi tediosa lección. Con ello dan ustedes una prueba, a mi entender definitiva, de su sometimiento total a una disciplina que, por no emplear un adjetivo que pudiese lastimar sus virginales oídos, puedo calificar de draconiana.

"Porque hacerlas levantar a ustedes antes de las ocho, para tener que soportar durante nueve meses una lección de Matemáticas, es algo que sobrepasa mi capacidad de absorción, bastante desarrollada, dicho sea entre paréntesis, de algún tiempo a esta parte.

"En mi escuela, aunque quizá no sepan ustedes que dirigí una, las niñas de su edad entraban en clase a las diez de la mañana y disfrutaban de un recreo de dos horas. A los pocos meses de estar allí, todas poseían la suficiente independencia espiritual para elevar sus objeciones cuando lo creían necesario y no leía nunca en sus rostros ese sometimiento servil al garrote que tantas veces, ay, leo en los suyos.

"Pero, en fin, ustedes no tienen ninguna culpa de lo que ocurre y lo más probable es que ni siquiera se sientan desgraciadas. Se limitan ustedes a obedecer lo que se les manda y todo les resulta más sencillo. Aunque lo mandado pueda ser absurdo, qué sé yo, monstruoso...

"A veces — se detuvo vacilante en la elección de las palabras — me resultan ustedes patéticas. Cómo diría yo... angustiosas. En mi época... — la sonrisa que asomaba a sus labios desapareció bajo su mano, como borrada por una esponja —. Pero no me hagan ustedes ningún caso...

"Nuestro amable señor director me recordaba anteayer precisamente que también yo debía esforzarme en llegar a punto; es decir, a las nueve, como todas ustedes... Porque es las nueve la hora fijada, me parece — añadió recorriendo la clase con una mirada inquisitiva.

—Sí, las nueve — repuso una niña del primer banco —. Pero desde hace una semana entramos media hora antes.

El rostro del profesor manifestó una sorpresa discreta; sin apartar los codos de la mesa, apoyó la barbilla en la mano.

—¿Ah, sí? — dijo —. ¿Y a qué se debe el cambio?

La niña se había puesto de pie y le hizo señal de sentarse.

—Porque ahora vamos a misa todos los días — dijo desde el banco.

—Ah, caramba. Hasta ahora había creído siempre que no era obligatorio. Anteayer estuve con el señor director en su despacho y no me dijo nada al respecto.

—No, no es obligatorio. Pero, como el mes próximo se celebrará el Congreso, el padre ha dicho que tenía necesidad de nuestro sacrificio.

—Vaya, vaya — exclamó Ortega, moviendo la cabeza —. ¿Y puede saberse de qué Congreso se trata? — Esbozó con la mano un ademán de disculpa —. Como nunca leo los periódicos, apenas me entero de lo que ocurre.

—Es el Congreso Mundial de la Fe — repuso la niña — y esta vez se celebra en España.

—Va a ser una fiesta muy sonada — aclaró una compañera —. El diario dice que han construido diez hoteles y vendrán peregrinos de todas partes.

—Cien mil. Mi padre dice que cien mil. Conoce un jesuita muy importante y le explicó...

—Veamos — interrumpió Ortega, alzando la mano —, no se precipiten. Si todas hablan al mismo tiempo no hay forma de entenderse. Estábamos en lo del

Congreso Mundial. — Se volvió hacia la niña del primer banco y preguntó, enarcando las cejas —: Este Congreso decía usted que es de...

—De la Fe — repuso, incorporándose.

—Por favor, siéntese — exclamó Ortega. Luego, a media voz, repitió como para sí —: Congreso Mundial de la Fe... Congreso Mundial de la Fe... ¿Es eso?

Hubo un coro de respuestas afirmativas procedentes de distintos sectores de la clase.

—¿Y saben ustedes cuál es el objeto de este Congreso?

Varias niñas levantaron la mano a un tiempo. Ortega eligió a una del tercer banco.

—El padre dice que es para rezar — repuso con voz tímida.

—Para rezar... — repitió Ortega como un eco.

—Para rezar por Dios — aclaró la niña —. El último día nos darán fiesta a todas y por la noche iremos al desfile.

—El director ha encargado ya para nosotras un traje blanco.

—¿Un traje blanco?

—Ayer nos explicó que cada profesor acompañará a las niñas de su curso y, luego, desfilaremos cantando delante de las autoridades.

El profesor movió la cabeza, como si se negara a dar crédito a lo que oía.

—Vaya, vaya; de modo que también nosotros participaremos en el desfile.

—Sí, señor.

—Cantando himnos...

—Sí, señor.

—Caramba, caramba...

Las niñas le contemplaron fijamente con sus pequeños rostros ávidos; todas pretendían ser agraciadas con sus preguntas y se removían en los asientos deseosas de contestarlas.

—Entonces se interrumpirá el curso durante varios días...

—Sí, señor.

—Muchos, quizá...

—Dicen que una semana.

—El colegio de mi hermano — exclamó Piluca — lo cierran durante diez días.

—El padre dice que en las aulas alojarán a la peregrinación irlandesa.

—Oh, qué tonta — exclamó otra niña —, lo que ha dicho es que deberíamos buscarles alojamiento en nuestras casas.

—Esto ya lo sé; pero también explicó que en el instituto...

Media docena de niñas rompieron a hablar al mismo tiempo. Ortega las hizo callar con un enérgico movimiento del brazo.

—Calma — dijo — Un poco de calma. Todo se aclarará a su debido tiempo.

Obedientes al magnetismo de su voz, las niñas guardaron silencio. Todavía esperaban una oportunidad de lucir su sabiduría y manifestaron un desencanto ruidoso cuando Ortega sacó de su cartera el cuaderno de álgebra.

—En fin — dijo —. Cualquier otro día volveremos a hablar de ello. Por hoy, basta. Ahora bórrenme estos monigotes y divídanme la pizarra en dos partes iguales.

Con gran sorpresa de él, las niñas, en lugar de obedecer, volvieron a levantar la mano:

—El padre ha dicho que no los borremos todavía. Ayer interrumpió la lección a la mitad y no tuvimos tiempo de copiarlos.

Durante unos momentos, Ortega examinó los triángulos, conos, cilindros y haces que cubrían el centro de la pizarra, y acabó por confesar su ignorancia.

—¿Puede saberse qué interés tiene el padre en que copien ustedes estos dibujitos?

Las niñas volvieron a levantar la mano de nuevo, excitadas y felices; aquella mañana el profesor se comportaba lo mismo que un chiquillo y se sentían orgullosas de poderle mostrar cuán formadas estaban.

—Es un método de enseñanza del catecismo que nos está dictando para los niños pobres. Así, por ejemplo, el triángulo amarillo es Nuestra Señora y la raya granate significa la Unión Hipostática.

Pero se detuvieron en seguida al darse cuenta de que Ortega ni las escuchaba siquiera: derrumbado sobre la mesa de la tarima, más pálido y ojeroso que nunca, les hizo una imperceptible señal con la mano.

—Está bien, está bien — dijo —. Ustedes han ganado.

Y haciendo caso omiso del reglamento, sacó la petaca de la chaqueta y lio cuidadosamente un cigarrillo.

* * *

—No, no creo que la conozca usted. Cuando se publicaba, usted era muy niño todavía y desde hace mucho tiempo, está totalmente agotada. Este número lo encontré, por casualidad, en una librería de lance.

El muchacho estaba sentado enfrente, leyendo el párrafo que acababa de enseñarle y Ortega aprovechó la oportunidad para contemplarle atentamente por encima de las gafas: flaco, nervioso, con el pelo cortado en cepillo, constituía la estampa viva del padre durante sus años de estudiante; ambos tenían la misma voz, iguales gestos, idéntica expresión entre exasperada e indecisa. Como su amigo, se interrumpía frecuentemente al hablar, dejando sus frases inconclusas, y corregía este defecto redondeándolas con un ademán de sus manos afiligranadas y amarillas.

Sumamente tímido, Jiménez le había advertido por carta que debería arrancarle las palabras con sacacorchos: *"sus amistades madrileñas no han sido, lo que se dice, muy brillantes y, desde su entrada en la universidad, parece más bien inhibirse. Nadie mejor que tú, querido Rafael, para indicarle el camino a seguir, darle la orientación que necesita e impedir que zozobre en el general naufragio..."* Semejante muestra de confianza en sus dotes educativas, después de su largo silencio, le había conmovido de modo profundo.

Conocía a Jiménez desde hacía muchos años, por haber estudiado juntos la carrera de Ciencias, y lo consideraba el mejor de sus amigos. Durante mucho tiempo, después de incorporados los dos a sus destinos respectivos, habían mantenido una relación epistolar, no interrumpida siquiera en los años de guerra; pero desde mil novecientos treinta y nueve Jiménez vivía fuera de España y su correspondencia había disminuido.

Por otra parte, como Ortega pudo advertir poco a poco, sus cartas expresaban una creciente desesperanza en los valores que en su juventud habían dado sentido a su vida. Cuatro años antes recibió una carta fechada en Méjico, notificándole la decisión de enviar a su hijo a España: *"Desearía mucho poder acompañarle — decía —, pero confieso que no me atrevo. Ha corrido tanta agua bajo los puentes, que me aterra la idea de verme convertido en un fantasma".* Y, desde entonces, no había vuelto a resollar.

Por esta razón, la nueva carta, seguida de la visita del muchacho, le habían colmado de alegría: *"Me gus-*

*taría que ejercieses junto a él ese papel de orientador
y amigo que a mí me ha sido negado... Tal vez tú co-
nozcas a algún joven de nuestras ideas: preséntaselo.
Desearía que intimasen, que se hiciesen verdaderamente amigos. A su edad los camaradas son muy impor-
tantes y sería muy triste que cayera en un grupo de
hijos de familia...*"

¡Pobre y viejo Jiménez! Conocía de sobra su natural reserva, su pudor en exponer sus sentimientos al desnudo, para ignorar el esfuerzo que le había costado la frase: *"Creo que todo cuanto le enseñé durante los años que estuvo conmigo, le parece erróneo, cuando no falseado"*. Pues bien, a gran señor, gran honor; no tendría por qué arrepentirse.

La misma noche le había escrito una carta larguísima, agradeciéndole la confianza: *"Tu chico va a ser para mí igual que un hijo; mejor aún, un hermano"*. También él había empeñado su palabra de amigo y estaba dispuesto a cumplirla costara lo que costase.

El muchacho estaba sentado en el sillón de su cuarto y Ortega creyó, por un momento, que el tiempo retrocedía treinta años; cuántas veces, en una habitación parecida, habían leído la revista juntos, su padre y él. Pero allí estaba el espejo de encima de la cómoda para recordarle las arrugas de la frente y el pelo cada vez más blanco.

No, aquél era el hijo de su amigo y él tenía cincuenta y cinco años; pero, con cierta sorpresa, comprobó que el cambio apenas le afectaba. Lo importante era que, junto al muchacho, su vida volvía a tener sentido. Después de un paréntesis de tres lustros intuía, de pronto, el advenimiento de una edad feliz, como amigo, como educador y como padre, y tuvo que hacer un esfuerzo para no caer de rodillas y besarle las manos llorando.

Los ojos se le habían llenado de lágrimas y los restregó furtivamente con el pico del pañuelo. Decididamente se estaba volviendo viejo. Luego oyó el ruido de las páginas entre los dedos del chico, y el timbre familiar de su voz, tan próximo y, a la vez, tan lejano:

—¿Quién es el autor de la cita?

Antes de responder, Ortega cambió ligeramente la orientación de la silla y le señaló la ampliación fotográfica de encima de la mesa.

—Francisco Giner de los Ríos — dijo, recuperándose —, fundó el pasado siglo en España la Institución Libre de Enseñanza en la que su padre y yo tuvimos el gran honor de formarnos. Este hombre, con un grupo de amigos...

El muchacho le escuchaba en silencio, sin atreverse a alzar la vista. Aunque Ortega había preparado su discurso la noche última, encerrado en el aula del Instituto Ceferino González, no pudo evitar, a pesar de ello, un cierto desorden expositivo, alguna imprecisión en los conceptos...

Un leve temblor, que le aquejaba cuando sufría alguna emoción fuerte, impedía que sus palabras sonaran claramente. Molesto consigo mismo, se detuvo a la mitad de la exposición y comenzó a revolver entre los cajones de su escritorio; guardaba allí, desde hacía varios meses, una botella de coñac y, con gran asombro, descubrió que había desaparecido.

Desconcertado, miró alrededor buscando algo que ofrecerle y sólo encontró una bolsa de peladillas. Para ganar tiempo, limpió el cristal de sus gafas y murmuró con gesto de excusa:

—Me hubiera gustado darle un poco de coñac, pero no sé dónde diablo lo he metido. Si usted quiere, puedo enviar a la muchacha al colmado.

—Oh, no se moleste. Entre horas no suelo tomar nada.

Ortega estuvo a punto de decir: "Hace usted bien. El alcohol resulta perjudicial a la larga", pero se contuvo; realmente no hubiese sido diplomático. El chico podía muy bien sentirse ofendido. Al fin y al cabo era un prejuicio suyo. Se estaba tomando demasiado en serio su papel de padrastro.

Para inyectar nueva vida a la charla le expuso, sucintamente, su proyecto de crear una escuela gratuita para la chiquillería de las barracas.

—Enfrente de casa, en la ladera de la montaña, viven alrededor de trescientos niños hacinados en las chabolas. Si usted ha subido por la calle Mediodía...

—Sí, ya me he dado cuenta — repuso el muchacho, levantando la cabeza para devolverle la mirada —. Es algo que realmente encoge el ánimo.

—Como la escuela municipal del distrito no acoge ni a una cuarta parte y los señoritos de la catequesis sólo se acuerdan de ellos los domingos, la semana pasada se me ocurrió la idea de ir a ver al delegado...

Aunque la visita había tenido lugar hacía exactamente ocho días, Ortega la recordaba con todos sus pormenores: la casa de pisos recién construida, la escalera de mármol alfombrada de rojo, la sala de espera con aire acondicionado. A los pocos minutos había aparecido una mujer gruesa, de mediana edad, vestida con traje de calle, con el rostro almidonado a fuerza de pintura y el pelo teñido de negro. "¿Deseaba usted ver a mi marido? — exclamó con voz aguda; y, sin darle tiempo a decir ni pío, comenzó a recitarle la letanía de sus desgracias —. Difícil. Difícil. Difícil — repetía sin dejar de contemplarle con una mirada neutra y glauca. Su Melchor estaba ocupado, ocupadísimo y no recibía a nadie fuera de su despacho; con el trabajo que había en el Ayuntamiento durante aquellas semanas el pobrecillo no disponía de un minuto y hasta ella misma estaba todo el día en danza: que si visitas, cocteles, recepciones, besamanos...

—No sé por qué se me ocurrió la idea de entregarle la carta de presentación del director del Instituto en donde doy clases por la mañana.

La mujer la había leído atentamente de cabo a rabo, y se apresuró a acribillarle a preguntas: "¿Se trataba, quizá, de algo relacionado con la modificación del horario de enseñanza? ¿O bien se refería al programa de las próximas fiestas? ¿Ni una cosa ni otra? Ah, entonces ya lo sabía: el homenaje al cura párroco. ¿No? ¿Tampoco? Entonces, entonces... Hasta que él había acudido en su ayuda. ¿Un permiso para instalar una escuela? ¿Para los niños pobres? ¿Chiquillos de las barracas? Ah, ah, ah..., su sonrisa se había congelado poco a poco, hasta quedar fijada, como una mueca postiza, sobre la ensangrentada pintura de sus labios... De modo que para los niños de las barracas. Vaya, vaya... Su sorpresa había cedido en seguida y sonreía de nuevo, de modo diplomático... Claro. Los pobrecillos. Andaban tan necesitados... Bien pensado, la suya era una excelente idea; pero tal vez Melchor no era el hombre más indicado para apoyarla. Quizás en la parroquia, el padre Francisco...

—Sí, conozco la historia — dijo el muchacho mientras encendía el cigarrillo que Ortega acababa de alargarle.

—Luego, sin venir a cuento, la buena mujer empezó a hablarme de ceremonias, paradas, ropajes y desfiles. "Mi Melchor — decía — me ha contado que traerán una custodia de dos metros de oro y pedrería, con una esmeralda más grande que una mandarina." Hasta que no pude más, inventé una excusa y salí a la calle.

—De modo que no hubo nada que hacer — dijo el chico.

—No, nada. Al cabo de tres días recibí una carta del caballero de marras en la que, tras darme las gracias muy amablemente, decía que mi proyecto era imposible, porque el Ayuntamiento desconocía oficialmente la existencia de las chabolas.

Tenía la carta al alcance de la mano y leyó un fragmento en voz alta:

"Por otra parte, dado el carácter provisional de la barriada a que usted se refiere, cualquier iniciativa de ese tipo sería prematura en tanto que..."

El chico le escuchaba cabizbajo. Ortega creyó adivinar en sus ojos una leve sombra de fastidio. La idea de aburrirle con sus proyectos le llenó de miedo y decidió desviar la conversación hacia otros cauces.

—Su padre me ha dicho que aquí no tiene ningún compañero. Ya sé que en la Universidad no le será difícil hallarlos. No obstante, creo que el trato con algún conocido mío, un poco más joven que yo, claro, podría serle útil...

Sin separar la vista de los legajos apilados encima del escritorio, el muchacho aprobó con un movimiento de cabeza.

—Entonces, si usted me lo permite, me tomaré la libertad de dar su dirección a un antiguo discípulo que, al acabar la guerra tenía, aproximadamente, sus años. Es un chico muy preparado, con el que podrá hablar a sus anchas.

—Con mucho gusto.

Aguardó a que Ortega tomase el bolígrafo del plumero y dictó:

—Calle del Progreso, cuarenta y dos, principal.

—¿Es una casa particular?

—Una residencia.

—¿Hay teléfono?

—Sí, pero no sé el número. Seguramente lo encontrará en la guía.

—No tiene ninguna importancia.

En aquel momento, a través de la puerta mal ajustada, se percibió la voz agria de Antonia, regañando con la abuela:

—... al paso que va perderá la cabeza un día y ni siquiera se dará cuenta.

El chico miró la esfera del reloj y se agitó nerviosamente en la silla.

—Tal vez tiene usted prisa y le estoy robando el tiempo — dijo Ortega con voz apenada.

—No, en modo alguno. Todo lo que usted dice me interesa mucho; pero son cerca de las seis y tengo que hacer unos encargos.

—En este caso no quiero retenerle ni un minuto. Lo importante era que entráramos en contacto los dos. Puesto que se queda usted aquí no nos faltarán ocasiones de vernos.

—Eso espero yo también — dijo el muchacho.

Ortega deseaba manifestarle la inmensa alegría de su encuentro y su esperanza en reanudarlo. Algo más fuerte que él se lo impedía, haciéndole pronunciar, a pesar suyo, frases vacías y huecas:

—En fin. Me alegro mucho de haberle conocido. Esta misma noche, antes de acostarme, mandaré una postal a su padre.

Durante unos segundos permaneció de pie, indeciso, como si deseara añadir algo. Se limitó a decir:

—Espero que, cuando haya visto a mi amigo, me dirá qué impresión le ha causado.

A lo que el chico había respondido:

—Desde luego.

Pero ya estaban los dos en el recibidor, después de

haber cruzado el pasillo, y Ortega no tuvo otro remedio que hacer lo que tanta ira le daba: descorrer el
pestillo de la puerta y contemplar, medio desvanecido,
cómo su silueta amiga se perdía, indiferente, por la
calle.

* * *

Desde el extremo del pasillo, Pipo espiaba su des-
pedida. Al cerrar la puerta, el profesor había apoyado el
antebrazo en la hoja, y, por un momento, el niño tuvo
la impresión de que lloraba; pero Ortega pareció recupe-
rarse en seguida y, con las manos en los bolsillos, regresó lentamente a su cuarto.

Pipo volvió también al suyo e intentó repasar la
gramática. Antonia continuaba regañando a la abuela en
la cocina y se tapó cobardemente los oídos para no oír.
No sabía cómo, la criada acababa de descubrir las frecuentes desapariciones de dinero y echaba las culpas a
la mala cabeza de la abuela "que la hacía olvidarse de
todo". Y la abuela había empezado a recorrer la casa
de un extremo a otro, hurgando en los escondrijos más
absurdos y recitando en voz alta la oración de san Antonio:

> *"Si buscas milagros mira:*
> *Muerte y horror, desterrados;*
> *Miseria y demonio, huidos;*
> *Leprosos y enfermos, sanos..."*

Al cabo de unos segundos penetró en la habitación
con su aspecto de loca, las guedejas del pelo deshechas
y los ojos brillantes de lágrimas. Como siempre que
estaba aturdida, se había puesto el sombrero. Al verle

le dirigió una sombra de sonrisa y le miró extraviado.

—¡Lo que hemos hecho, hijo mío, lo que hemos hecho!

Y dejando a Pipo sumido en una mar de cábalas, abandonó la habitación mientras la criada, desde la cocina, continuaba disparándole sus flechas envenenadas:

—Rece, rece. Que san Antonio va a hacerle mucho caso — y cambiando la voz, con mayor ironía —: ¿O acaso cree usted que no está harto de oírla lloriquear todas las tardes?

Pipo cerró el libro. La idea de que la abuela pudiera estar al corriente de sus hurtos le asustaba. Desde un principio sabía que la sisa no podría prolongarse mucho tiempo, pero nunca, hasta entonces, había adoptado una decisión para el momento en que esto sucediese. No obstante, reflexionando bien, la certidumbre era preferible a la ignorancia. Y, como por otra parte, la abuela no se había atrevido a acusarle directamente del robo, su silencio equivalía, en cierto modo, a una tácita aceptación del hecho consumado.

Examinado el asunto a todas luces, la puerta cerrada de la víspera tenía su explicación: sabiendo que Pipo le quitaba dinero pero, demasiado débil para reprochárselo, la abuela había tomado sus precauciones. Su cambio de táctica exigía una modificación de la suya y, ahora, Pipo jugaba con ventaja. Si, por un lado los obstáculos se hacían más difíciles, por otro, la responsabilidad frente a Antonia corría a cargo de su abuela. Y esto, a fin de cuentas, era lo que importaba.

Irritado consigo mismo, abrió la ventana de par en par y se sentó en la baranda con las piernas colgando hacia fuera. La calle Mediodía estaba desierta como de costumbre y en el tramo de enfrente no había un alma. Al cabo de poco, de la pendiente triangular que separaba las terrazas de su calle de la carretera, Pipo vio aparecer a la niña del piso de arriba, acompañada de una criatura de apariencia extraordinaria.

Aunque sabía por Antonia que a la prima de fuera "le faltaba un tornillo", su contemplación le produjo vivísimo asombro. La niña llevaba el pelo recogido en una trenza y, encima de la frente, mechones rebeldes formaban una coronita leonada. Durante unos segundos observó la explanada de barracas, haciendo visera con los dedos. Luego, al divisarle, le había señalado a la atención de Piluca y marchó decididamente a su encuentro, con una sonrisa impersonal a flor de labios.

—¿Tendría usted la bondad de avisar a su abuela un segundo?

Pipo fingía arañar con un lápiz en el revoque de la jamba y lo guardó cuidadosamente en el bolsillo antes de responder:

—¿Para qué desea verla usted?

Piluca se había acercado también a la ventana y el niño hizo como si no la viese. Durante los cinco años que la niña vivía en el piso, nunca habían cruzado una palabra y, de mutuo acuerdo, preferían ignorarse. En cambio, el aspecto de la prima le había hecho concebir el deseo de intimar con ella.

Su respuesta fue como una jarra de agua fría para sus esperanzas.

—Puede decirle que no pienso retenerla mucho tiempo. Lo que me interesa es visitar el sótano que tienen ustedes.

—Pues no la podrá ver — dijo Pipo —. Mi abuela se ha ido de compras y Antonia no quiere que baje nadie. — Se llevó la mano al bolsillo y añadió —: Además, yo tengo la única llave.

Hubo un punto de silencio durante el que la niña le contempló con sus ojos como margaritas: avergonzado, Pipo hundió las manos en los bolsillos y analizó con fijeza sus zapatos.

—¿Es cierto que durante los años de la guerra la cueva servía de refugio? — preguntó la niña con voz más suave.

Pipo la estudió largo tiempo antes de responder. La recién venida se colocaba delante de Piluca con gran coquetería, sirviéndose de ella como de un telón de fondo ante el que su belleza salía beneficiada.

—Sí — dijo —. Cada vez que tocaban las sirenas la gente se metía dentro y, aunque un día cayeron en la casa más de quince bombas, los de dentro ni se enteraron siquiera. Pero ahora vuelve a estar cerrada, y sólo entran en ella mis amigos y mis primos.

—Puesto que usted tiene la llave —repuso la niña— puede usted considerarnos sus amigas.

El acento con que dijo estas palabras, más que las palabras mismas, le causó intensa satisfacción.

—¿Vive usted con los señores de arriba? — preguntó mientras afilaba el lápiz con su navaja.

La niña alisó con la mano los rebeldes mechones de la frente.

—Momentáneamente, sí — repuso —. Pero no soy charnega como los otros. Yo he nacido en Madrid, frente al Retiro, y ahora voy a Italia, a reunirme con mi padre.

Distraídamente observaba las macetas del antepecho y se puso de puntillas para arrancar un retoño de hierba lechera.

—Mira, querida — dijo, volviéndose hacia su prima —, aquí hay otra mata.

Con sus manos diminutas segó el tallo más grueso y aplicó el líquido que brotaba a sus pómulos.

—Va muy bien para el cutis — explicó. Piluca cortó otra rama y se embadurnó laboriosamente la cara.

—¿Y usted? — interrogó a la niña—: ¿Es usted de Murcia?

Pipo denegó con la cabeza.

—Yo nací aquí, en esta casa. Mi padre es del Norte.

La niña hizo un ademán con los hombros:

—Yo estoy aguardando el verano para reunirme con el mío. Durante la guerra era capitán y salió de España, dándome por muerta. Pero yo me he enterado de dónde vive y me presentaré en su casa sin avisarle.

—Pira ha preparado ya el equipaje — dijo su prima — y en agosto se embarcará para Italia. Entonces me llamará a mí también y viviremos siempre juntas.

—Mi padre se ha hecho millonario en América y vive encerrado en un castillo. Cuando escapó de España llevaba una foto mía y la besa todas las noches antes de acostarse.

Pipo se acordó al fin de la escena: un año antes, en un cine de barrio había visto una película cuyo argumento coincidía en muchos puntos con lo que la niña relataba: la casa bombardeada, el padre fugitivo, el castillo... Y la protagonista infantil se parecía mucho a Pira, inclusive en su forma de hablar y de vestirse. Maliciosamente preguntó:

—En el castillo de su padre, ¿no hay un lago?

La niña sonrió con desenvoltura.

—... y escaleras, salones, armaduras y cascadas. Los lacayos visten casaca y yo doy órdenes todo el día.

—Su madre — explicó Piluca — vivía con ella en el pueblo y se lo contó antes de marcharse.

—Yo lo sabía desde siempre. Lo que me dijo acabó de confirmármelo.

—Su padre la reconocerá por una cicatriz que tiene en la cadera.

—Yo también tengo su foto para poder reconocerle a él.

—El ambiente en que se ve obligada a vivir no corresponde a una persona de su clase. Como soy la única en comprenderlo, cuando llegue a Italia, tendré mi recompensa.

—Los charnegos son groseros y vulgares — afirmó la niña —. En mi pueblo, no podía asomarme fuera. Todo el mundo me señalaba con el dedo.

—A Pira le gusta vestirse con trajes de colores y pasear con los sombreros de su madre. Era la niña más elegante y las otras estaban muertas de envidia.

—Un horror. La gente se volvía en la calle para mirarme, como si tuviera monos en la cara. Y, todo, porque llevaba zapatos de tacón.

—Su madre la regañaba continuamente, pero ella no le hacía ningún caso.

—Quería vestirme de negro como las demás y mandarme a un colegio ordinario.

—Como las alumnas de las madres.

—¡Qué atraso! — suspiró —. Afortunadamente no volveré a poner los pies en aquel agujero.

Permanecía erguida, balanceándose sobre uno y otro pie y Pipo le hizo señal de aguardar. Prudentemente se aseguró de que ni la abuela ni Antonia espiaban, y descorrió el cerrojo de la puerta. Las niñas estaban ya en la portería y les impuso silencio con la mano.

—Antonia no quiere que baje nadie. Si nos descubriera — inventó — me dejaría a pan y agua toda la semana.

—¿A pan y agua?

—No sería la primera vez que lo hace.

Pira pareció medir con la mirada la magnitud del sacrificio.

—Gracias — dijo —. Muchas gracias. Cuando llegue a Italia y me reúna con papá en el castillo le mandaré una tarjeta.

—¿Y yo? —preguntó Piluca—. ¿Podré escribir también cuando esté fuera?

—Desde luego, querida. Desde luego.

Pipo las hizo pasar al recibidor y ordenó de nuevo silencio. Temía que Antonia, al descubrir la presencia de las niñas, se ofreciera espontáneamente a acompañarlas, dando al traste con sus proyectos.

—Chist. No hagáis ruido.

Cogidos de la mano, siguieron el pasillo hasta llegar junto a la puerta de la cueva. Una vez allí, Pipo metió la llave en la cerradura y empujó a las chiquillas por la trampa.

—Pasad, rápido.

De puntillas — los tacones de Pira hacían "clap, clap" — bajaron hasta el rellano en el que Antonia guardaba la confitura, la salsa de tomate, los sacos de patatas y el vino. La verdadera cueva estaba más abajo y se llegaba a ella por una escalera sucia.

La despensa olía a húmedo y recibía la luz de una claraboya. El claror caía desde lo alto como una celisca de motas de polvo. El sol se adivinaba por el color de la llovizna que a veces parecía una racha de oro. Los niños se colaron bajo de la rociada, envueltos en una nebulosa de polvo diminuto. Pipo se detuvo en la boca de la cueva y oprimió fuertemente la mano de Pira.

—¿Y la luz? — dijo Piluca, señalando el interruptor herrumbroso —. ¿Por qué no la enciende?

El niño tampoco sabía por qué y vaciló unos segundos antes de responder.

—Está estropeada — dijo al fin —. Pero da igual. Conozco la gruta de memoria y me las arreglo perfectamente sin linterna.

Pira bajó la voz para preguntar:

—¿Y no tiene miedo, ahí dentro, de tropezar con alguien, de pronto?

—No — explicó él —. Algunas noches, cuando me desvelo, bajo aquí y me paseo por la gruta con las luces apagadas.

Por el silencio de las niñas midió el efecto causado por sus palabras e, inconscientemente, acentuó la presión de los dedos.

—Hace unos años — dijo —, cuando ustedes no vivían aún arriba, entró un ladrón en la cueva y yo lo descubrí. Era un hombre de más de dos metros y llevaba un cuchillo pero, como yo apagué las luces, no me pudo encontrar. Entonces cerré la puerta con llave y fui a avisar a la policía. Cuando llegaron los guardias lo encontraron loco de rabia, echando sangre por la boca.

—¿Sangre? — exclamó Pira —. ¿Por qué?

El niño se interrumpió dramáticamente.

—De rabia, se había cortado la lengua.

—¡Que horror! ¿Y usted no tuvo miedo?

—Un poco.

—Yo creo que me hubiera muerto del susto... ¿Y tú, Piluca?

—Con lo miedosa que soy... De sólo pensarlo, se me eriza la piel.

Pipo bajó el tramo de la escalera, gustando de su poder. Abajo la oscuridad era completa. Pira le oprimía la mano con todas sus fuerzas y su contacto tibio le llenaba de turbación. Rabiosamente deseó estar a solas con ella. Pero Piluca continuaba al otro lado y no parecía dispuesta a dejarles.

—A veces también vienen fantasmas — continuó; pero sintió que Pira se estremecía y se apresuró a añadir —: Cuando es de noche.

—¿Ha visto usted alguno? — murmuró ella, rozándole la oreja en los labios.

—Dos o tres veces.

—¿Qué forma tienen?

—Son grandes como las personas, pero de distinto color. Sus ojos son verdeoscuros y brillan por la noche, como los de los gatos.

Habían llegado al fondo de la gruta y, al iniciarse el retroceso, sus cuerpos se rozaron.

—¿Sabe una cosa? — afirmó ella —. Estoy muerta de miedo.

Desde hacía unos momentos temblaba como una hoja y el niño la abrazó por el talle sin encontrar resistencia.

—Tranquilízate — dijo tuteándola —. Yo estoy aquí y no puede ocurrir nada.

—Salgamos. Todo esto es oscuro y no puedo ver.

—Sí, sí — coreó la prima —. Salgamos.

Pipo las llevó hacia la salida dando un rodeo. La debilidad de que daban muestras le devolvía poco a poco todo su aplomo. Guiándolas a través de la gruta se sentía fuerte, poderoso. Y, antes de llegar a la escalera, se detuvo, con fingido sobresalto.

—Chist — ordenó.

Hubo una breve pausa durante la que la niña se acurrucó contra él, aterida y temblorosa.

—¿Qué ocurre?

—Me ha parecido oír algo.

—Vámonos — sollozó —, tengo miedo.

Casi al mismo tiempo Piluca, lanzó un chillido que debió oírse en toda la casa.

—¿Qué pasa? — exclamó Pipo.

—No sé. Alguien me ha tocado.

—Imposible. Estamos los tres solos.

—Una mano helada.

Piluca corrió escaleras arriba y tropezó con una ristra de ajos. Una cacerola de cobre cayó al suelo y rodó estrepitosamente.

—Pronto — susurró Pipo —. Larguémonos.

La puerta de la gruta estaba abierta y atravesó velozmente el pasillo. Desde la portería había oído la voz de Antonia, preguntando qué pasaba y siguió corriendo del brazo de Pira hasta la calle.

—Es usted una idiota—dijo a Piluca—: ¿No le dije que se estuviera quieta? Ahora Antonia se ha enterado de todo y, por su culpa, me castigarán.

—La culpa es de usted y sólo de usted — repuso ella —. Eso le enseñará a no meter a nadie en sitios tan oscuros.

—Estaban conmigo y no podía ocurrirles nada.

—Pues yo le digo que allí había alguien.

—Y yo digo que no.

—Pues debe ser usted un ciego.

—Y usted una visionaria.

Las mejillas le ardían y la cabeza le pesaba; con gusto la hubiera molido a golpes.

—Por favor — dijo Pira, sentándose al borde de la pendiente —. Os lo suplico, no gritéis tanto.

Los dos niños se volvieron hacia ella en demanda de ayuda. Pira hizo un gesto displicente con los labios.

—¡Uf! — murmuró —. La dichosa gruta estaba llena de telarañas.

Sirviéndose del peine alisó los mechones del pelo que le caían por la frente y los sujetó con un lazo azulceleste que sacó del bolsillo. Piluca la espiaba con avidez y se apresuró a repetir todos sus movimientos.

Sentado en un escalón, Pipo la observó con desagra-

do; su constante interposición entre él y Pira le encole-
rizaba, y esperó a que concluyera para hacerle una
mueca con los labios.

—Ande. Imítela en todo. Parece usted una mona del
parque.

—Pira es un ser profundamente original que no me
importa tomar como modelo — repuso Piluca —. Si usted fuese un poco más sensible se esforzaría en hacer lo
mismo.

Se dirigía a su prima con el deliberado propósito de
indisponerlos.

La niña fingió no hacerle caso.

—Me gusta el fuego — dijo, señalando las hogueras
encendidas por los barrenderos municipales —. Cuando esté en el castillo, encenderé las chimeneas.

—Supongo que disfrutaréis mucho los dos juntos
— dijo Piluca —. Allí, a solas, sin nadie que os es-
torbe...

—Por favor — le interrumpió Pira —. ¿Puede saberse a quién te refieres?

Por la expresión de triunfo de Piluca, Pipo comprendió que la niña había caído en la trampa:

—Pues quién ha de ser... Tú y el chico.

—¿Y quién te ha dicho que llevaré al chiquillo conmigo?

Su desdén al pronunciar "chiquillo" era tan manifies-
to, que Pipo se sintió enrojecer hasta las orejas.

—Nadie — repuso Piluca —; como os veía a los dos
tan entusiasmados supuse que te lo llevabas de viaje.

—Ni soñarlo — afirmó Pira —. En casa no entrará
ningún hombre. Salvo mi padre, desde luego. Mi padre y
los criados.

Observó a Pipo despectivamente y el niño sintió que
las sienes le punzaban.

—Tampoco yo les he pedido que me lleven — replicó —. Y aunque me lo suplicasen de rodillas, pueden estar bien seguras de que no querría acompañarlas.

—Pira va a tener otros partidos, mejores y más brillantes que el suyo. De modo que deje de importunarla, y aprenda a saludarla desde lejos.

Pipo las examinó a las dos con rabia. De forma que querían guerra. Pues guerra tendrían.

—¿Importunarla? — dijo —. Ni lo deseo. Hace rato que me he dado cuenta que son ustedes un par de embusteras y no creo una sílaba de lo que han dicho sobre sus padres, castillos y criados.

Al oírle, el rostro de Pira pareció volverse aún más rígido: sus pupilas giraron como muertas en la fisura de sus ojos entornados e, irguiéndose bruscamente, recogió el borde de la falda con la punta de los dedos.

—Es usted mal educado y grosero.

—Y usted mentirosa e ignorante.

Piluca se dirigió al encuentro del niño dispuesta a hacerle pagar cara la ofensa. Su prima la detuvo con un movimiento del brazo.

—Sería inútil — dijo —. Con gentes así, no vale la pena reñir.

Por toda respuesta, Pipo les sacó despectivamente la lengua. Pero ya las niñas le habían dado la espalda: muy dignas, sujetándose la falda con las manos e imprimiendo a sus caderas un leve balanceo, entraron en la casa en el momento en que Antonia salía de compras.

Al reconocerla, Pira señaló con el dedo a Pipo y susurró algo a su oído. Luego desapareció por la portería, sin dignarse de dirigirle una mirada.

Cuando Antonia bajó a donde estaba Pipo, el niño quiso saber qué le había dicho. La mujer se llevó el índice a la sien, en un movimiento rotatorio.

—Está loca — dijo —. Como una regadera.

* * *

La tarde anterior, mientras bebía un porrón de tinto
en la bodega, el Gorila había sido protagonista de una
aventura extraordinaria: doña Rosa, que desde hacía
algún tiempo parecía mostrar un vivo interés por su
musculatura, le había llevado al interior de la vivienda con el pretexto de que le ayudara a clavar unos
marcos.

Aunque el marido estaba fuera, el Gorila no atribu-
yó al hecho ningún significado especial. Doña Rosa era
mujer respetada por la clientela y gozaba en el barrio
de una reputación intachable. A menudo, cuando necesitaba arreglar un plomo fundido, o descargar vino
de las tinajas, los parroquianos le auxiliaban benévo-
lamente. Unas semanas antes, estando presente el marido, el Gorila había desatascado una tubería y creyó
de buena fe que, una vez más, se trataba de prestarle
un servicio.

Por eso, cuando en el momento en que se disponía
a clavar el primer marco, doña Rosa le acarició el vello
del pecho, llamándole: "Mi gran animal tostado", su
asombro no tuvo límites. Tanto que ni siquiera se dio
cuenta de que doña Rosa le besaba de forma poco ho-
nesta ni de que él la empujaba hacia la cama, hasta que
todo estuvo hecho. Entonces la contempló de reojo, lleno
de vergüenza, procurando cubrirse el cuerpo con las sábanas.

—Yo no sabía qué hacer, te lo juro. Doña Rosa estaba a mi lado, tal como había venido al mundo, y yo
tenía que frotarme los ojos para convencerme de que no
soñaba. Todo era tan confuso que ni siquiera me atrevía a moverme y miraba el suelo más tonto y escurrido
que un bacalao.

—¿Y ella? — preguntó Norte —. ¿Qué hacía ella?

—Oh — dijo el Gorila encogiéndose de hombros —. Hablaba, hablaba sin parar. Decía que yo era un hombre, y no el marido de ella, y que deberíamos volver a vernos, y tacatí y tacatá, dale que dale, como un disco rayado.

—¿Y cómo acabó?

—¿Acabar? Pues de ningún modo. No quería soltarme. Decía que era feliz conmigo. Pero yo sólo podía pensar: Estoy en la cama con doña Rosa. Y cada vez sentía más vergüenza.

—¿Vergüenza? ¿Y por qué tenías que sentir vergüenza? Desde el momento que ella lo quería...

—Sí, ya lo sé; pero doña Rosa es una gran señora. Y no sé qué decirte: me asustaba estar allí, en su cama...

—Hala, calla. No digas más tonterías. Cualquier otro estaría dando saltos de contento y a ti no se te ocurre otra cosa que poner cara de mártir.

—Sí, lo reconozco, es estúpido, pero tenía ganas de irme.

—Irte, irte... Como si no te gustasen las faldas...

—Todo era tan nuevo, tan inesperado...

—Mejor que mejor, un motivo más para quedarte allí con ella.

—Oh, la cosa no es tan fácil como parece... En primer lugar no me atrevía a tutearla...

—Vaya con el valiente... Y luego dices que yo soy un calzonazos.

—No podía. Se me formaba un nudo en la garganta.

—Total: que te largaste por las buenas y la dejaste allí.

—Sí — admitió humildemente el Gorila —, pero me parece que no se enfadó conmigo.

—Encima querrás hacerme creer que se quedó muy satisfecha.

—No, no digo eso. Se volvió a poner la ropa y me acompañó hasta la bodega.

—¿Te pidió que volvieses al menos?

El Gorila se cruzó de brazos con ademán de impotencia.

—No lo sé; mientras salíanos me decía un montón de cosas, pero yo ni la escuchaba...

Norte fue a buscar el hornillo a proa y encendió cuidadosamente el fuego. El sol estaba a punto de ocultarse tras los tinglados y sus rayos caían como llovizna rubia sobre las barcas escoradas del varadero. El reloj de la torre se había parado a las cinco y cinco y alguien trepaba por la escalerilla, a darle cuerda.

—¿Volverás a verla esta noche? — preguntó al cabo de un rato.

—No sé. No lo he pensado aún.

—No. Tú quieres que sea ella quien venga a buscarte a bordo... Y luego te lamentarás toda la vida, como te lamentabas la otra noche de no haber hecho caso de la cojita del bar.

El Gorila no contestó. Sentado en la escotilla seguía con la vista la evolución de las gaviotas sobre la boya, absorto en una de sus ensoñaciones habituales. En los dos años de vida en común, Norte había aprendido a respetarlas, convencido de que, dijera lo que dijese, no lograría arrancarle una sílaba. Dando un suspiro, empezó a preparar la cena.

Casi al mismo tiempo el Gorila bajó a la cámara de popa, y regresó con una pila de tebeos. Norte conocía su argumento de memoria por haberlos leído, para matar el tiempo, cuando su amigo se iba fuera. Protagonizados por hércules matasiete que caían en terribles emboscadas, se salían de ellas, luchaban con feroces enemigos y salvaban bellas muchachas, concluían dejando al héroe en una situación dificilísima de la que, inevitablemente, se zafaba; pero el Gorila no parecía darse cuenta del truco y los compraba semanalmente en el quiosco, con el interés apasionado de un chiquillo.

—Ay, caray — decía, al finalizar los relatos —. Lo que es de ésa me parece que no se libra.

Y cuando, pese a los leones, los tigres o los caimanes, el héroe salía del pozo con la bella entre sus brazos, la hazaña le llenaba de entusiasmo.

Con una expresión sumamente atenta se entretuvo en hojear los tebeos. Después apuró de un trago el vino que había en el porrón y, sin abandonar su aspecto ensoñador, saltó por la roda a tierra.

—Eh, tú — exclamó Norte, sorprendido, dejando de aventar el fuego —. ¿Puede saberse adónde vas?

A lo que su amigo respondió, mientras se alejaba con las manos hundidas en los bolsillos:

—A rezar. Que es la Cuaresma.

* * *

Aquella tarde Pipo encontró a doña Rosa más amable que nunca. Al verle, la mujer dejó de atender a la clientela y le estampó un sonoro beso maternal en la mejilla.

—Tengo una carta para ti, tesoro — dijo acariciándole el pelo, con sus firmes y bien cuidadas manos —. Un mensaje que vamos a descifrar los dos juntos.

El último taburete del mostrador estaba vacío y lo limpió con el trapo para que se sentase. El niño la obedeció — algo inquieto por la inexplicable ausencia de su amigo — y contempló su abultada popa mientras hurgaba entre los cajones en la barra. Al fin, doña Rosa dio con el papelito y lo exhibió triunfalmente. El mensaje estaba garabateado con lápiz y resultaba difícil de entender. La mujer guardaba unas gafas de concha en el bolsillo del delantal y se las puso, apartándose el pelo con los dedos.

—*Su hermano es a la mar* — leyó —. *Espere. Beba una cerveza con doña Rosa*. Firmado: *el Cama*.

—¿El Cama? — dijo Pipo —. ¿Quién es el Cama?

Doña Rosa apuntó con el índice a un grupo de pescadores sentados en la primera mesa. Uno de ellos, vestido con un mono azul y un pasamontañas negro, acababa de escupir en el antebrazo de un viejo y le aplicaba un concienzudo masaje con sus manos callosas y sucias. El viejo iba trajeado como un mendigo, con una gorra de plato remendada y una camisa rota y contraía las mandíbulas de modo convulsivo, dejando asomar la punta de la lengua entre sus labios. El masajista no parecía preocuparse mucho de su dolor y friccionaba su muñeca con energía. El viejo intentaba zafarse y gemía lastimeramente, como un animal. Los otros seguían el forcejeo con atención y aventuraban frases cargadas de ironía.

—Pues no te vendrían mal los dientes, abuelo.

—Eso te enseñará a beber la paga solo y dejar a tus compañeros plantados.

—Apriétale fuerte, Antorcha. Hasta que eche los hígados.

—Sí, hasta que los escupa.

—¿Quién es? — preguntó Pipo.

Doña Rosa dejó de fregar el mármol y se acodó frente a él, sonriente.

—¿Quién quieres que sea? — suspiró —. El de los harapos.

Los ojos del mendigo emitían fugaces destellos de ira. Desde hacía unos momentos luchaba furiosamente por desasirse, con el rostro congestionado por el esfuerzo.

—¿Qué tiene? — preguntó Pipo, rebajando de un sorbo el nivel de la cerveza que el dependiente le acababa de servir.

—Nada; un esguince. Como llevaba una juma de las suyas debió creerse que era un gorrión y, en la taberna de ahí enfrente, se tiró escaleras abajo.

—¿Se ha roto el hueso?

—Lo que es esta vez, podrá contarlo. Veremos lo que ocurrirá la próxima.

—¿La próxima qué?

—Borrachera, rey mío, borrachera… Durante treinta días vive de lo que le regalan sus amigos y duerme en el muelle. Luego, cobra el seguro del accidente del ojo y se lo bebe por ahí en una noche… La verdad, yo hace mucho tiempo lo hubiera sacado de aquí, pero como tu hermano se ha encaprichado con él…

—Realmente es una suerte que no tenga dientes — dijo Pipo señalando la punta de la lengua —. Si los tuviera…

—También se los rompió por ahí, yendo borracho… Ahora, como está tan arrugado, el barbero de la esquina, para afeitarle, le mete una nuez en la boca. Mira, aquí llega tu hermano.

El Gorila había entrado por la puerta lateral de la bodega y se detuvo ante el grupo de curiosos que rodeaban al Cama.

—¿Puede saberse por qué me sacas la lengua, cabrón? — exclamó arrojando al suelo la colilla de su cigarro —. ¿Te parece ésa la forma de recibir a los amigos?

El Gorila se acercó a saludar a la patrona y acarició la desmelenada cabeza del niño.

—¿Cómo está usted, doña Rosa? ¿Y tú, Pipo?

Doña Rosa les contemplaba a los dos, arrobada.

—Si no fuera porque es usted tan feo — afirmó señalando al Gorila — diría que, más que hermanos, son ustedes padre e hijo.

—Pues no anda usted descaminada — dijo cruzándose de brazos —. Pero creo que está confundiendo los papeles.

Poseído del espíritu del juego, el niño echó la cabeza atrás, abombó el pecho, fingió acariciarse la barba. Al mismo tiempo el Gorila apartó un mechón de pelo y señaló un lugar del cráneo a la curiosidad de la patrona.

—¿Ve usted este chichón? — dijo, cuando la mujer lo hubo palpado —. Me lo hizo él, con una silla.

—¡Vaya, vaya! — exclamó doña Rosa —. Y yo que lo tomaba por un ángel.

—¿Un ángel? — le interrumpió el Gorila —. Si es el mismo diablo...

Doña Rosa no parecía tener mucha prisa en dejar de tentar su cabeza.

—Y usted, con lo fuerte que es, ¿no le da vergüenza dejar que lo golpeen?

—¿Fuerte yo? — exclamó el Gorila, hinchando el pecho, hasta que la pescadora azul estuvo a pique de romperse —. Pero si no doy miedo ni a las moscas.

—Además — añadió Pipo, feliz —, le tengo dominado.

—Ya lo ve usted. Cuando estamos a solas, quien manda es él.

También él parecía encantado por la representación y, al beber, chascó ruidosamente la lengua. Consciente del interés de la mujer, exhibía su hercúlea silueta dando vueltas en torno del niño, como un gigantesco oso de feria recién escapado de la jaula.

—Con todo y ser tan pequeño, cuando hago una trastada, me castiga.

—Si no fuese por mí — dijo Pipo —, a estas horas andaría por ahí, hecho un gitano.

—Tirado como una colilla, sí señor.

—O en la cárcel.

—Pero él me defiende y no deja que nadie me falte...

—Obligo a la gente a que le respete.

—Y al que no obedece, palo.

Doña Rosa reía y susurró algo en la oreja de su amigo. El Gorila se había acodado en la barra entre ella y Pipo y, mientras bebía la cerveza, el niño se entretuvo en espiarlos. Como había tenido ocasión de ver en otros momentos, su amigo ejercía una extraña influencia sobre quienes le rodeaban. Su llegada obraba el milagro de modificar todos los rostros, haciendo aparecer en ellos, a su antojo, el interés, la atracción, la sonrisa. El Gorila tenía clara conciencia de ello y se exhibía como un actor de teatro: su cara adquiría una expresión brutal e inocente, las venas del cuello abultaban como sogas y sus pesadas piernas esbozaban un leve balanceo.

Cuando el Gorila le propuso cenar con él y Juanita, acogió la invitación como la cosa más natural del mundo. Aunque hasta entonces no había cenado nunca fuera, el obstáculo le pareció fácil: telefonearía a la tienda de la esquina y diría que se quedaba estudiando en casa de un amigo.

Desde el locutorio telefónico, observó a los pescadores mientras comían la cena de las tarteras: Antorcha, el masajista, y el viejo Cama; los buzos con los que el Gorila había pulseado y un grupo de viejos que jugaban a cartas. Al salir, dejó que doña Rosa le besara la mejilla y saludó con la mano. El Gorila lo acompañaba, como siempre, hacia la parada del tranvía, pero esta vez no iban a separarse. La idea de pasar la noche a su lado le llenaba de emoción e, impacientemente, comenzó a tirarle del brazo para darle prisa.

De pronto reparó en un hombre flaco, vestido con un traje gris raído, que en la bodega había espiado su conversación con la patrona. El hombre parecía seguirles a lo lejos y, al encontrar sus ojos, se detuvo en medio de la calzada.

—¿Quién es? — dijo Pipo, señalándole discretamente cuando llegaron a la esquina.

El Gorila volvió un momento la cabeza.

—No lo sé — dijo. Y al captar la mirada del niño, añadió —: ¿Por qué me lo preguntas?

Pero Pipo tampoco sabía por qué y se hizo el tonto.

—Por nada — dijo.

* * *

Juanita aflojó los tirantes de la blusa y ofreció su magro pecho al pequeño. El bar estaba por fortuna medio vacío y un biombo la protegía de las miradas indiscretas. El mozo acababa de retirar los restos de su ración de camarones y le sirvió otra de aceitunas y gambas a la plancha. Aquella noche los gastos corrían a cuenta de su amigo y había decidido comer a su antojo.

El Gorila la había citado a las nueve en punto y estaba allí desde las ocho menos cuarto. Aunque el puesto de verduras cerraba a las siete, no tuvo humor de acercarse por su casa. La atmósfera familiar la deprimía. Desde el accidente de Manuel, la madre se pasaba el día llorando y no desaprovechaba una ocasión para cubrir de improperios al Gorila. Como siempre olvidaba que, llegada la hora de pagar el alquiler, su amigo era el único que ponía los cuartos evitando que el propietario las arrojara a la calle. Pero su memoria era muy corta y en seguida volvía a las andadas.

Juanita estaba cansada de sus gritos, lamentos, imprecaciones. La verdad era que el Gorila tampoco se portaba de modo decente y a veces sentía deseos de plantarlo; pero, después de cada pelea, se arrepentía y corría a buscarlo por los muelles con el niño. Las reconciliaciones solían ser muy dulces y le dejaban en los labios un sabor agradable. El Gorila la llevaba a cenar fuera y le hacía algún regalillo. Luego la acompañaba a un hotel y pasaban la noche juntos.

El Gorila, de ordinario tan bruto, sabía mostrarse en ocasiones particularmente delicado. Le gustaba besarla y acariciarla lo mismo que un niño, contemplándola, con su rostro de oso, con una expresión entre asombrada e ingenua. Su mayor debilidad seguía siendo el hijo. Durante horas y horas no se cansaba de acunarlo, mecerlo, tomarlo entre los brazos y revolcarse con él, mientras el niño reía excitadísimo y agitaba las manos furiosamente. En medio de la cama le improvisaba un moisés y no consentía en apartarlo ni cuando hacía el amor con ella.

Estas noches eran excepcionales y su efecto se desvanecía en seguida. Fuera de la cama, el Gorila volvía a ser el mismo de siempre: un bruto, un informal y un zafio, incapaz de la menor comprensión hacia ella o hacia su hijo.

Durante semanas enteras permanecía sin dar señales de vida, malgastando el dinero de la paga en juergas y prostitutas. Un día lo había descubierto con una especie de percha con cara de florero y delante de todo el mundo la arañó como un gato rabioso. El Gorila las observaba divertido mientras peleaban, pero su alegría

no duró mucho tiempo. Una vez vencida la rival, Juanita
la emprendió a golpes con él, hasta que el Gorila logró
arrastrarla a un *meublé* y la lucha concluyó sobre la
cama, entre caricias y abrazos.

El dinero debía arrancárselo del bolsillo el mismo
día del cobro, pues, manirroto como era, el Gorila era
capaz de patearlo en una noche con mujeres o invitan-
do a beber a sus amigos. Para ello había tenido que
conchabarse con el dueño del "Venadito", quien le no-
tificó el calendario de la paga. El día fijado, Juanita iba
a esperarlo al muelle y no lo dejaba tranquilo hasta que
le entregaba el dinero.

Con el tiempo Juanita había aprendido la manera
de tratarlo. Sin embargo, en muchas ocasiones su ha-
bilidad demostraba ser inútil. El pasado de su amigo,
por ejemplo, constituía un verdadero misterio y sus
esfuerzos por aclararlo se habían estrellado contra un
muro. Si sabía que estaba casado y que la mujer vivía
con un hermano de él, ignoraba todo referente a su familia y a veces sospechaba que su nombre era un in-
vento.

El Gorila le hablaba a menudo de sí mismo, pero
sus historias malcasaban unas con otras y eran como
piezas de un *puzzle* que nunca se ajustaban. Un mismo
hecho, referido en días distintos, adquiría ligeras varian-
tes que alteraban su significado. En cualquier anécdota,
por prolija que fuese, parecía existir un vacío que era
como el origen y la fuente de su extremada claridad.
Este punto oscuro que, al igual que un sol, gravitaba
perpetuamente sobre la panorámica del relato, constituía un centro secreto en torno al cual el narrador tejía
el esquema cambiante de sus mentiras.

La gran cicatriz del muslo ocasionada, según le había dicho un día, por una granada explosiva durante
los últimos meses de la guerra, se debía, otra vez, a las

heridas sufridas en una tentativa de suicidio, por no haber podido pagar a tiempo el último plazo de una motora. El número de sus hermanos aumentaba de tres a cinco y su lugar de nacimiento oscilaba entre Extremadura y Canarias. Imposible indagar en los papeles: no los tenía. Al parecer, los perdió en un naufragio en Río Benito, aunque Juanita sospechaba que el tal naufragio no había ocurrido nunca.

Inútil también mostrarle sus contradicciones y mentiras: el Gorila siempre se escapaba. Sus aclaraciones resultaban aún más confusas y Juanita se quedaba, a fin de cuentas, tan enterada como antes. El Gorila tenía la cabeza llena de mentiras y a su lado era imposible distinguir lo vivo de lo pintado. Con el tiempo había aprendido a conceder a sus palabras un crédito relativo, dispuesta siempre a ponerlas en tela de juicio mientras no se probara su autenticidad.

El Gorila hacía continuamente teatro y, a diferencia de los actores, acababa creyéndose los papeles. Las pantomimas que ensayaba ante auditorios desconocidos concluían por afectarle. Al hablar, parecía ocultar el vacío bajo un alocado torrente de palabras, pero el vacío, el punto oscuro, permanecía inmutable, como un defecto de la pantalla receptora en la agitada sucesión de las imágenes.

Cuando, a las nueve, se presentó en el bar, del brazo de un niño rubio, no experimentó ninguna sorpresa. Más de una vez el Gorila había venido a la cita acompañado de gitanos cantores, rapazuelos contorsionistas, sordomudos devoradores de espinas de pescado y perros abandonados cubiertos de miseria, como si necesitase de ellos para ensayar sus nuevos números. Juanita conocía de memoria sus pantomimas y empezaba ya a estar harta.

Aquel niño, sin embargo, difería de sus acompañantes habituales y, casi a pesar de ella, Juanita lo examinó con simpatía. Era pálido, nervioso y espigado, con luminosos ojos azules y pelo rubio muy lucido. Parecía, además, bien educado y — observó — vestía muy limpio.

—¿Puede saberse quién es? — exclamó mientras el hombre hacía mimos a su hijo.

—¡Pues quién quieres que sea! — repuso el Gorila, cogiendo la criatura entre los brazos —. Mi primo. El hijo de tía Pepita.

—Eso se lo contarás a tu abuela — dijo ella —: Es el hombre más embustero que he encontrado en mi vida. Si tuviera que hacerle caso, sería pariente hasta de Franco.

—Bo-bo-bo-bo — hizo el Gorila, aplastando sus bigotes sobre el crío —. ¿Quién es tu papá? ¿Quién es el papá de Pablito?

Juanita se lo quitó bruscamente de los brazos.

—Si serás bruto... Ya te he dicho mil veces que mientras no te saques la navaja de ahí no quiero que lo toques.

Visiblemente contrariado, el Gorila la guardó en el bolsillo del pantalón.

—¿Ya empezamos? — dijo.

—Yo no empiezo ni digo nada — repuso Juanita —. Pero si quieres tenerlo en brazos cuida primero de no herirlo. — Se volvió hacia el niño y añadió —: Se lo digo cada vez que viene y encima se queja si me cabreo.

—Mira — dijo el Gorila —. No empieces como los otros días porque me largo y te dejo ahí. He traído al niño conmigo y no quiero que le estropees la noche. niño conmigo y no quiero que le estropees la noche.

El mozo se había acercado a ver qué querían. El Gorila pidió triple ración de almejas.

—Pipo ha tenido la atención de invitarnos y encima le vas a enseñar los dientes.

—Yo no enseño los dientes a nadie — repuso Juanita —. Sólo quiero que vayas con cuidado cuando acaricias al niño.

Se lo entregó al padre para que lo acunase y acercó la silla al banco donde se sentaba el chiquillo forastero.

—Le ruego que no se sienta usted incómodo — dijo —. Estoy acostumbrada a recibir visitas como la suya y mucho más extrañas. Como está medio loco — añadió señalando al Gorila —, necesita andar siempre en danza. Todos los pobres del puerto son amigos suyos: los cojos, los mancos, los mudos... Con tal que tengan algo raro, a él, ya le gustan. Los que duermen en el muelle de las ventas...

—Los conozco — interrumpió Pipo, sin separar la vista de sus manos —. También son amigos míos.

Juanita dejó de abrocharse la blusa y le contempló de reojo. Pipo se expresaba con voz pausada, que vibraba en el aire, con un tintineo de vidrio. No, realmente tampoco era un niño ordinario, aunque su anomalía no se manifestara en lo físico. Había en su aspecto algo que la atraía e impedía al mismo tiempo la tentación de tutearlo. A su lado, el Gorila le pareció más basto y grosero que nunca.

—Usted, que es tan listo y fino — le dijo al oído —, a ver si logra civilizarlo. Yo lo he intentado durante dos años, y ya ve lo que he conseguido.

—Le estoy civilizando ya—repuso el niño—. Desde que me conoce ha aprendido montones de cosas, pero le da vergüenza decirlas.

Hablaba con voz muy fuerte, como si en lugar de contestarle se dirigiese exclusivamente al Gorila. Éste estaba demasiado absorto con el crío y ni siquiera se volvió a mirarlo.

—¿Lo ve? — dijo Juanita —. En realidad es una

criatura. Cuando se porta mal, lo hace sin malicia. Pero, hijo mío, a veces una ya no puede más...

—Algunos días también se porta mal conmigo — afirmó el niño, con la misma voz de antes —, y, entonces, le castigo.

—¿Le castiga? — murmuró Juanita sin comprender.

—Sí; hasta que me obedece.

El Gorila tampoco le hacía caso y Pipo interrumpió su pantomima. Juanita no podía quitarle la vista de encima y experimentaba un poco de celos al sentirse postergada.

—Si quiere que le diga la verdad — confesó, asegurándose de que el Gorila no la oía —, siempre me ha gustado conocer a gente como usted, de su cultura... Verdaderamente, con él, no se puede ir a ningún lado...

En aquel momento, el Gorila dejó de acunar al crío y le preguntó en un susurro si aquella noche podrían dormir los dos juntos. Irritada, Juanita hizo como si no lo oyera y se volvió ostensiblemente hacia Pipo.

—¿Cuántos años tiene usted?

—Doce. Casi trece.

—Si yo tuviese ocho menos dejaríamos al bruto ese con el crío y nos iríamos los dos por ahí, de parranda.

El niño no la escuchaba como si, en su devota admiración, sólo tuviera ojos para mirar a su amigo. Sin desanimarse todavía, prosiguió:

—¿Ha salido usted alguna vez de paseo, con amigas?

—No — repuso el niño.

—Claro, es usted demasiado pequeño. De aquí dos o tres años...

—Un día fui a la feria con mi prima.

—La feria — dijo ella para sí misma —. La Casa Encantada, los coches, el tiro al blanco...

—El Gorila es campeón de tiro — dijo el niño señalando a su camarada.

—En mi pueblo — continuó Juanita, pasando por alto la observación —, las atracciones están al lado de la playa y permanecen abiertas todo el verano.

Sabía que el Gorila la miraba con cólera y bostezó. Aquella noche no tenía ningún deseo de acompañarlo. De buena gana habría salido con el niño. Pero Pipo parecía deseoso de continuar con el Gorila y Juanita no se atrevió a decir nada por temor de contrariarle.

—Te estoy hablando — dijo el Gorila con voz ronca, cesando de acunar a la criatura.

—¿Ah, sí? — dijo Juanita sin inmutarse.

—Mira. — El rostro del hombre expresaba una irritación creciente —: Si no quieres venir conmigo, al menos deja de provocarme.

—Yo no te provoco ni digo nada — repuso Juanita.

—Entonces, hazme el favor de contestar.

—Te he contestado ya.

—Pues dilo más claro; que yo te entienda.

—Que no puedo.

—Di mejor que no quieres.

—Lo que a ti te parezca.

—Bien — dijo el Gorila incorporándose —. En este caso... — los músculos del cuello se tensaron como los de un animal dispuesto a la embestida —. En este caso...

Juanita leyó en sus ojos la decisión de partir con el niño e inclinó sumisamente la cabeza.

—No, quédate — dijo en un susurro —; procuraré arreglarlo.

CAPÍTULO CUARTO

El mirador del parque solía estar muy concurrido de cinco a siete. La gente se reunía allí a ver la ciudad en perspectiva, envuelta en un ligero halo de bruma, como una gigantesca maqueta de cartón-piedra. A aquella hora, el sol arrancaba destellos de la punta de sus iglesias, de la deslumbradora blancura de sus bancos y de la somnolienta cúpula de sus instituciones dieciochescas que espejeaban como escarchadas de lentejuelas de colores. A su lado, los restantes edificios parecían difuminados y borrosos, horadados de pequeñas ventanas rectangulares que, con sus flores, barandillas y macetas, parodiaban la triste alegría de las lápidas del cementerio el día de Todos los Santos.

La situación del mirador era excelente y abarcaba la ciudad de cabo a rabo. Las calles, conforme explicaba el guía a un grupo de visitantes, estaban trazadas a tiralíneas, como las cuadrículas de un cuaderno de deberes. Al verlas, se adivinaba en seguida que el urbanizador tenía buen pulso y la regla no se le había corrido ni un centímetro. Todo estaba rigurosamente medido y no era posible apreciar ninguna falla. Al pie de la montaña tan sólo, el maquetista no había tenido tiempo de trazar nuevas cuadrículas y se columbraban numerosos terraplenes y solares en donde los emigrantes de Murcia y Andalucía campaban con su miseria y su hambre.

A medida que atardecía, el vaho que emanaba de la ciudad adquiría reflejos tornasolados, mientras los bloques macizos de las casas disolvían gradualmente sus aristas en una difusa niebla. Era la hora de los pájaros, que llenaban el espacio con sus gritos, enlazando con sus vuelos veletas y atalayas, indiferentes al llamear rojizo del sol, al agitado tránsito de las calles y al aullido lejano de las sirenas que anunciaban la salida de las fábricas.

Entonces el mirador quedaba casi vacío, porque el último funicular era el de las siete y en él bajaban los grupos familiares, las nodrizas y los visitantes fortuitos. En el parque quedaban sólo unas cuantas parejas y alguno que otro contemplador solitario. Jiménez descartó de entrada a las primeras y analizó uno a uno los individuos acodados en la baranda. Había tomado una cita por teléfono a las siete y cinco con el amigo del profesor Ortega y, aunque faltaban alrededor de diez minutos, creyó a primera vista identificarlo entre los presentes.

Ignoraba por completo su nombre y apellidos y vaciló un buen minuto antes de hablarle. El hombre miraba también con insistencia y, en un momento dado, le hizo una seña con la mano. Jiménez creyó que era muy joven, pero en seguida se dio cuenta de que rebasaba la cuarentena. Su rostro, sin embargo, se conservaba fresco y adolescente, a causa tal vez de sus ojos, luminosos y azules. Al muchacho se le antojó que iba vestido con cierto rebuscamiento, pero fue impresión de sólo unos instantes.

El desconocido, con gran nerviosismo, lanzaba breves y penetrantes ojeadas y, al descubrir su sonrisa, se adelantó a estrecharle la mano.

—Creo que nos estamos esperando — dijo Jiménez —. ¿No es usted...?

—Sí, sí, el mismo — le interrumpió el otro, asegurándose cautelosamente de que no les espiaba nadie —. También yo...

—No me atrevía a decirle nada a causa de la hora... Como faltan aún unos minutos...

—Oh, yo estaba aquí desde las seis... Esta tarde no tenía nada que hacer y decidí estirar las piernas un poco. En lugar de tomar el funicular, subí andando por la carretera...

—El lugar es magnífico — corroboró el muchacho, haciendo un amplio ademán con los brazos —. A esta hora resulta muy agradable.

—Da tanto gusto dejar la ciudad por unas horas... Yo vengo aquí siempre que puedo. En verano, especialmente, casi todos los días. Conozco una serie de rincones que son una delicia. Si usted quiere...

—Oh, vayamos adónde a usted le parezca. Yo sólo he estado aquí una mañana y puede decirse que no conozco nada.

—Entonces, si me lo permite, le llevaré a uno de mis nidos.

Con gran amabilidad se había colocado a su izquierda y se encaminó hacia una alameda sombreada de plátanos.

—Es un lugar recogido — dijo — donde seguramente podremos charlar a solas. Aunque tal vez — añadió, deteniéndose — desea usted ir antes al bar a beber una copita...

—Como usted prefiera... Yo ya le he dicho que no conozco nada.

—¿Tiene usted sed? — preguntó el hombre mirándole con insistencia a los ojos.

—Yo, no. Antes de tomar el funicular me he bebido un par de cañas; pero, si usted quiere...

—En este caso, lo mejor que podemos hacer es continuar adonde íbamos. Después, si le apetece, nos detendremos en el quiosco a beber un trago.

El desconocido le cogió familiarmente por el brazo y le guió a través de un dédalo de veredas. Al caminar daba muestras de realizar un gran esfuerzo y Jiménez advirtió que, de vez en cuando, suspiraba. Con mano suave le oprimía levemente por el codo, como animándole a proseguir.

—Son curiosos los presentimientos — dijo —. Cuando usted se adelantó, hacía rato que estaba contemplándolo, como si algo me dijera desde un principio que el del papelito era usted. Tanto es así que, a pesar de que había otros efebos, ni siquiera se me ocurrió la idea de que fuese alguno de ellos.

Jiménez había observado que, después de sus palabras, sobrevenía un silencio inquieto y decidió mudar la conversación, buscando la manera de evitarlo.

—En eso de los encuentros — explicó — suceden cosas muy divertidas. Recuerdo que una vez, hace años, me llamó por teléfono una muchacha desconocida, citándome en la puerta de un cine de mi barrio. Para reconocernos quedé en ponerme una flor blanca en el ojal de la chaqueta. Pues bien: cuando llegué no vi a la chica por ningún sitio y sí a media docena de papanatas como yo, con la misma flor. Por lo visto, la chica se había entretenido en tomarnos el pelo y debía desternillarse de risa contemplándonos.

—Magnífico. — El desconocido premió la anécdota con una carcajada —. Realmente magnífico. — Luego se detuvo en seco, como si su risa no hubiese existido nunca y le observó con atormentada expresión —. Pero es algo cruel e inhumano. Nunca debe engañarse a nadie. Nunca. Nunca.

—Cuando nos dimos cuenta — dijo Jiménez — por poco nos morimos de risa. La chica esperaba tal vez que nos echáramos los platos por la cabeza y, al revés, nos fuimos todos con la florecita al Palacio de los Deportes y pasamos la tarde en grande.

—Hicisteis bien — aprobó el hombre acentuando la presión en el brazo —. Los muchachos, si no son mezquinos, siempre descubren el medio de rebelarse.

—En otra ocasión — comenzó el chico — con una vecina de escalera... — pero se dio cuenta de que su compañero no le oía y se interrumpió.

Habían llegado a una plazoleta desde la que se divisaba el puerto, con la escollera, los diques y las torres del transbordador gigante. Pasándole una mano por encima del hombro, el desconocido apuntó a las viviendas ruinosas asentadas junto a los muelles.

—En una de aquellas casas — dijo con voz temblorosa — vivía hace unos años un muchacho como usted. A menudo venía a pasear aquí conmigo, hasta que sus familiares se enteraron. Y recuerdo que al llegar a esta plazoleta me decía: "Fíjate en los hombres; son lo mismo que hormigas; pero no saben lo que quieren y chocan sin encontrarse".

Jiménez creyó adivinar en la historia la sombra de un reproche y, antes de que continuara, se apresuró a tranquilizarle.

—En mi caso todo es completamente distinto. Yo no tengo aquí familia y si la tuviera, puede usted estar seguro de que estaría de acuerdo conmigo.

El desconocido le miró con súbita ternura y le deslizó una mano acariciadora por la espalda.

—Gracias — dijo —. Muchas gracias.

—Comprendo muy bien que tome usted precauciones — continuó —, pero conmigo no son necesarias. También yo veo las cosas del mismo modo que usted y desearía que pudiera aconsejarme. Estoy... algo desorientado y quisiera que usted...

El pudor del hombre en manifestar su pensamiento le confundía. Tal vez abrigaba dudas acerca de su honradez y vacilaba en hablarle sin eufemismos. A momentos parecía que su indecisión y temor obedeciesen a causas distintas. Por otra parte, su carácter no respondía ni poco ni mucho a la imagen trazada por Ortega. El hombre no era en modo alguno enérgico y decidido, sino más bien tímido y vacilante. Pero esta timidez despertaba su simpatía y le devolvía, por contraste, toda su audacia.

—Creo que en Madrid he perdido el tiempo de un modo estúpido. El ambiente en que me movía era muy malo y tropezaba con grandes obstáculos...

—Lo comprendo — bisbiseó el desconocido —, lo comprendo. Para un chico de sus años descubrirse es siempre terrible. Todo se confabula en torno de uno y no queda otro recurso que ocultarse...

—Ocultos o no — manifestó Jiménez con energía — creo que debemos mantener nuestro criterio. Qué importa que los otros nos nieguen. Nosotros tenemos nuestra visión y no debemos abandonarla.

—Sí — murmuró el hombre, pensativo —. Todo eso es cierto... Debemos luchar para sobreponernos... Pero es tan difícil... Yo, durante años...

La evocación debía serle penosa, pues la interrumpió en seguida. Jiménez callaba confundido y le observó con sospecha. El desconocido se había parado frente a él y le miraba de hito en hito. Aunque oscurecía rápidamente, el muchacho tuvo ocasión de comprobar que su rostro sólo era juvenil en apariencia y que, visto de cerca, la piel presentaba arrugas menudas, como un esmalte resquebrajado.

De nuevo se internaban en el laberinto, ahora cogidos de la mano (cuando Jiménez se dio cuenta era demasiado tarde para evitarlo), mientras alrededor los bulliciosos pájaros enmudecían y, como obedeciendo a una consigna, el silencio y la noche se espesaban.

El muchacho experimentaba decidido malestar. La familiaridad del desconocido le sorprendía y caminaba a su lado avergonzado e inquieto. Un hálito de perfume les acompañaba a lo largo del sendero y no les abandonó siquiera cuando desembocaron en un claro.

—Hacía mucho tiempo que deseaba ver a alguien como usted — dijo para romper el silencio —. Hay mucha gente como nosotros, emboscada, que no se atreve a manifestarse... El año pasado, en Madrid, inicié contactos con un grupo de universitarios. Había entre ellos algún tipo de positivo interés... Pero todo quedó en agua de borrajas.

—Sí, lo sé — corroboró el desconocido, acechándole con ojos suaves y aterciopelados —. Resulta tan difícil encontrar la media naranja...

—Por eso cuando el profesor me dijo que...

—Estamos solos — dijo el hombre —. Ya nadie puede vernos.

—Yo pensé que... Si formásemos una célula secreta...

Desde hacía unos momentos se sentía incapaz de dominar el movimiento de la lengua y hablaba como buscando detener con sus palabras una catástrofe oscura e inmediata.

—Querido, querido mío — dijo el hombre, estrechándole entre sus brazos.

Los segundos que siguieron fueron como el producto de una endemoniada pesadilla. El desconocido le miraba a los ojos, con una expresión a la vez suplicante y terrible y, con dedos casi incorporales, comenzó a acariciarle los rizos de detrás de las orejas. El muchacho sentía sobre su rostro el choque de su aliento acaramelado y experimentó una aguda sensación de frío. No, no, no, no es posible, a mí no puede ocurrirme una cosa así; socorro, socorro, guardias...

—¡Guardias!

Durante unos instantes creyó que todo se hundía y giró sobre sí mismo, como una peonza. Los párpados le quemaban y tuvo que frotárselos durante un buen momento. Cuando logró ver al fin, el hombre se retorcía de dolor, como si hubiese recibido un latigazo y se apoyaba en el tronco de un árbol, ocultando el rostro. Lleno de pánico, Jiménez dio media vuelta y corrió por una vereda desconocida hasta una escalera cuyos escalones bajó de cuatro en cuatro, llorando de rabia, y restregándose furiosamente el lugar de la cara en donde el desconocido había puesto los labios.

* * *

—¿Va usted a hacer pronto ese viaje? —preguntó la empleada.

—No lo sé aún —repuso Pira—. Probablemente dentro de unos días.

—Espero que le agrade a usted. Muchas personas que utilizan nuestros servicios y tienen la gentileza de venir a comunicárnoslo...

—Oh... Yo no pienso volver. Como mi padre vive allí...

—¡Ah! En este caso, comprendo muy bien su impaciencia.

—La verdad; empiezo a tener ganas de abrazarlo.

—Si quiere usted mirar los folletos siéntese al fondo de la sala.

—Se lo agradezco mucho... Ya los miré al llegar.

—En este caso...

—Le repito mis gracias.

La niña salió por la puerta muy tiesa, consciente

de ser observada. Una vez en la calle, aunque no tenía prisa, caminó rápido, fingiendo dirigirse a la parada de taxis. Al doblar el chafán aminoró la velocidad de sus pisadas y se detuvo a hojear los folletos a la sombra de los árboles.

"*Los lagos*", "*Venecia*", "*Nápoles*". Su mirada se fijó en el que decía: "*Roma, presente y pasado*". Leyendo el índice de capítulos halló uno titulado: "*Visita al Vaticano*". Febrilmente consultó la página señalada. En cada ángulo había fotos de las iglesias principales; en el centro, una multitud de peregrinos reunidos en la plaza de San Pedro saludaban con pañuelos la aparición, en una ventana lejanísima, de una diminuta figura. Pira sintió que los ojos se le arrasaban de lágrimas: era el Padre Santo, el remoto y soñado Papa.

De pronto, sin levantar la vista del prospecto, adivinó que alguien la miraba. Al volver ligeramente la cabeza descubrió a la inquilina del piso de arriba, resollando, como después de un gran esfuerzo.

—¿No eres tú la niña del principal? — dijo, mientras hacía señas a un taxi.

—Sí

—Pues vente conmigo — resopló —. Te llevaré a casa.

—Gracias — murmuró Pira, obedeciendo.

—Hacia la Vía Meridiana — ordenó la mujer. Luego, dirigiéndose a ella, prosiguió —: Yo soy capaz de renunciar hasta a la comida. Pero esto sí: a casa, siempre en taxi.

—¿Ah, sí? — La niña ocultó los prospectos bajo el brazo.

—Sí. Siempre. Sobre todo cuando vuelvo del velódromo. — La analizó con su mirada astuta por encima de las gafas —: ¿Te gusta el ciclismo en pista?

—Sí.

—A mí me entusiasma. Hoy corrían Ruiz y dos suizos. Yo apostaba por Ruiz. Pero le han derrotado a última hora.

—Yo vi una carrera en el cine.

—¿En el cine? — exclamó la mujer —. Eso se ha de ver de verdad: la emoción de la gente, los gritos...

La niña no dijo nada. En vista de ello la señora de arriba detuvo su descripción entusiasta. Durante unos momentos miró por la ventanilla, distraída. De súbito, la contempló por encima de las gafas.

—¿Qué guardas bajo el brazo con tanto cuidado?

—Nada — aseguró Pira —. Unos folletos.

—¿Unos folletos?

—Sí, sobre Italia.

La mujer guardó silencio. Por el rictus de sus labios la niña dedujo que la juzgaba de modo desfavorable.

Habían llegado junto a la calle Mediodía y la vecina hizo parar el taxi.

—¿Subes, pequeña? — preguntó después de pagar al chófer.

Aunque se acercaba la hora de comer, Pira no sentía deseos de acompañarla.

—Usted me perdonará — dijo —. Debo hacer compras por el barrio.

* * *

Don Francisco dejó sobre la alfombra las chinelas de punto y apoyó la cabeza en el cojín de terciopelo. Con la persiana corrida, la sala ofrecía un aspecto íntimo, singularmente propicio al desenvolvimiento de sus sueños. Éstos formaban como el telón de fondo de unas siestas que prolongaba tanto como podía y que constituían, sin duda, el momento más agradable de la jornada.

Su argumento era, con pocas variaciones, siempre el mismo: don Paco se veía, retrospectivamente, joven, en compañía de una muchacha de ojos claros, muy parecida a la que un día, en una taberna de Murcia, para satisfacer un capricho del marido, le había dado un beso en la mejilla. La cosa no pasó de ahí; de una amigable caricia puntuada por la sonrisa de los espectadores que, como él, escoltaron a la desconocida hasta la calle cuando, del brazo de su acompañante, salió de la taberna y subió a un lujoso vehículo matriculado en el extranjero.

Pero, en el sueño, las cosas sucedían de modo muy distinto. En lugar de retirarse, la muchacha permanecía a su lado sonriéndole y, con bruscos ademanes, manifestaba un súbito horror hacia el marido. Estaba sola en el mundo, totalmente desamparada y se refugiaba en sus brazos, implorándole ayuda. Él se dejaba convencer y la llevaba a su casa. Aquí empezaba la parte más interesante del sueño que don Francisco revivía día tras día, revistiéndolo con nuevos pormenores. La desconocida le suplicaba con lágrimas en los ojos que no se separase nunca de ella, y don Francisco, el joven y apuesto don Francisco, no tenía más remedio que aceptar. Ella, entonces, le besaba, titilante de agradecimiento y se ofrecía a sus caricias como una colegiala enamorada.

Aquella tarde, por desgracia, la claridad del sueño se vio empañada por varias interferencias molestas. En el momento en que la muchacha desabrochaba su batín, doña Cecilia asomó la cabeza por la puerta del lavabo y observó la escena con ojos vidriosos. Don Paco se removió en su sillón y deslizó una mano por su frente como un borrador sobre la pizarra, pero la cabeza de su mujer continuó allí, obstinada, decidida a no perderse ni una coma de cuanto ocurriese...

Afortunadamente él no le hacía ningún caso y su idilio con la bella seguía su curso cuando doña Cecilia, no contenta con espiarlo a una distancia prudente, trasladó su puesto de observación a la cabecera de la cama. Ante la dualidad de sugestiones, don Francisco permaneció unos segundos indeciso: el espacio de tiempo suficiente para que las dos mujeres se confabularan contra él y lo persiguieran a lo largo de la casa, armadas de cuchillos y puñales.

Don Francisco se despertó sobresaltado y se frotó los ojos con la manga de la chaqueta. La habitación estaba llena del zumbido de las moscas, del pesado calor de la siesta. Tenía la lengua reseca y se sirvió un vaso de agua. Después, se dejó caer en el sillón y entornó perezosamente los párpados. Entonces percibió unas voces en el cuarto de su mujer y, a pesar suyo, se vio obligado a escucharlas:

—En la ladera de la montaña construyen otras dos.

—¡Qué plaga, Dios mío, qué plaga!

—Al paso que van los encontraremos hasta en la sopa.

—Si las autoridades procedieran con un poco de energía...

—Las autoridades no se enteran nunca de nada.

—Si mi salud fuera mejor, iría a quejarme yo misma... Tía Florita era amiga de un cuñado del alcalde y tal vez...

—Bah. Te echarían de patitas en la calle... Esa gente tiene enchufes en todos los sitios.

—Dios mío... Cuando pienso que me instalé aquí porque creí que enfrente nos iban a construir un parque...

—Pues acertaste — murmuró sarcásticamente Artu-

ro —. Como en todas las cosas, tuviste una visión
clara...

—Si lo hubiera sabido... — se lamentó doña Cecilia.

—Nuestra suerte no habría cambiado.

—Arturo — gimió ella —. Arturo.

—Ya, las lagrimitas.

—Te juro que lo hice por tu bien... La guerra me
había trastornado y no sabía lo que me hacía.

—Conozco la canción. Y ya te he dicho mil veces
que me aburre.

—Sé que me juzgas mal... Que me consideras egoís-
ta... Pero sólo pensaba en tu porvenir.

—Ya ves el resultado.

—Me equivoqué. Tu padrastro ha resultado ser un
vago sin oficio ni beneficio. Pero puedo asegurarte que
antes de casarnos...

—Te lo advertimos y no quisiste oírnos.

—Estaba ciega; tú enfermedad, la guerra...

—Sabías que no tenía un real... Sabías que era un
charnego...

—Si María Costa pudiera ver todo esto — suspiró
doña Cecilia.

—Pues no me sorprendería que lo viese — observó
Arturo —. Con el Congreso... En fin, no tendría nada
de extraño.

—¿Qué quieres dar a entender?

—Dentro de quinces días llegará la peregrinación
americana. Tal vez María...

—¿Tú crees?

—Yo no creo ni afirmo nada — repuso Arturo —.
Pero no tendría nada de particular que, aprovechando la
rebaja...

—No, no puede ser; me habría avisado...

—Tú misma dices que se presenta en los sitios, sin
advertirlo.

—Pues no la recibiré — afirmó doña Cecilia —. Diré que me he ausentado unos días. Una temporada en el campo, en mis fincas...

—No se lo creerá — repuso Arturo —. Cuando venga querrá meter las narices en el piso y no parará hasta encontrarte.

Don Paco percibió un gemido ahogado como si, incapaz de soportar los sarcasmos de su hijo, doña Cecilia hubiese apelado al supremo recurso de las lágrimas. En seguida oyó la voz de María tratando de consolarla y entornó de nuevo los ojos sin decidirse todavía a incorporarse.

Desde hacía una semana doña Cecilia guardaba cama y su salud empeoraba de día en día. Don Francisco sabía eso de oídas, pues tenía vedado el acceso a su cuarto. Mediante un acuerdo tácito, doña Cecilia y él habían dividido el piso en dos partes y cada uno de ellos respetaba escrupulosamente los límites.

Durante unos momentos pareció que todo se calmaba, pero en seguida oyó el ruido de unos pasos y descubrió la sombra de sus hijastros recortada en la vidriera del vestíbulo: la de Arturo, con sus muletas, y la de María, con una bata de sarga. Antes de hablar, la muchacha asomó la cabeza por la puerta para asegurarse de que dormía y la ajustó cuidadosamente, sin cerrarla del todo.

—¿Puede saberse qué diablo le has dicho? — escuchó don Francisco, aguzando el oído.

—Nada. Estábamos hablando de tonterías y, de pronto, le dio por llorar...

—Tonterías, tonterías... Conozco muy bien tu afición a mortificarla.

—Es ella quien me busca las pulgas.

—Sí. Y tú echas aceite a la hoguera.

—Yo no hago más que contestarle.

—Pues te callas... Sabes de sobra que excitarse la perjudica. Parece que te complazcas en hacerle daño.

—No lo puedo evitar. Me ataca a los nervios.

—Debería darte vergüenza. A sus años...

—Todo el día la tengo metida encima. No me deja en paz ni un momento.

—Sí, pero cuando se calla eres tú quien va a darle cuerda... Además, ya sabes que su tumor es incurable y que no puede vivir mucho. Su vida ha sido horrible; hay que tener piedad de ella.

—También es horrible la mía y no me quejo... También yo soy digno de piedad y no la pido. ¿O crees que es agradable estar encerrado aquí todo el día con las malditas muletas, teniendo que soportar, para colmo, los ronquidos de ese cerdo?

—Calla, Arturo. Te prohíbo que hables de este modo.

—Yo hablo como me da la real gana.

—¿No ves que puede oírte?

—Que me oiga.

Don Francisco percibió un leve roce en la manija de la puerta y fingió hallarse sumido en el mejor de los sueños.

—Míralo, el cochino...

—Calla.

—No le ha bastado venir él... Ha necesitado llenar la casa de murcianos.

—Te digo que calles.

La puerta se cerró de nuevo con precaución y don Francisco arriesgó una mirada fugitiva: no, ya no estaban. La vía del vestíbulo quedaba libre.

Durante un buen minuto continuó todavía en el sillón sin decidirse a partir. Las ofensivas palabras de Arturo, unidas al fracaso de su amor ensoñado, le habían llenado de mal humor y desgana.

Conocía muy bien la antipatía de Arturo y prefería
ignorarla. "Rencores de inválido" — decía a sus amigos.
Por otra parte, su pretensión de que vivía a costa de
doña Cecilia era, desgraciadamente, falsa. Don Francisco percibía un pequeño retiro de ferroviario que entregaba casi íntegro a María, deduciendo una parte muy
exigua para sus gastos de tranvía y tabaco.

Asegurándose de que no le veían, atravesó a hurta-
dillas el vestíbulo y se detuvo en la galería, abierta sobre
el jardín trasero de la casa. Desde allí escuchó los gritos
de los vecinos de arriba ("¿Tú, un hombre como él? No
me hagas reír. Estoy segura de que…"), y se llevó las
manos a los oídos de modo mecánico.

—Qué tarde, Dios mío, qué tarde…

Experimentaba una inmensa necesidad de consuelo
y miró en derredor buscando a sus hijos. Con gran sorpresa no los descubrió por ningún sitio. Algo confuso,
se apoyó en la barandilla de hierro de la escalera.

Era la hora aproximada de regar el huerto, y don
Francisco lo contempló con arrobo. Ah, cuando las cosas no iban como él quería y todo se confabulaba en
torno de él, las plantas de su jardín, sus plantas, eran
las únicas que no le defraudaban. Ávidamente corrió
hacia ellas, dispuesto a prodigarles sus mimos y atenciones, pero se detuvo en el soto, aterrorizado.

En el lugar donde, unas horas antes, crecían las to-
materas, había un enorme hoyo, rodeado de un círculo
de tierra, en el que reposaban aún dos picos y una pala.
En el centro, a dos palmos escasos de profundidad, descubrió una tubería de plomo seccionada y un cesto que
los ladrones habían abandonado en su huida.

Don Francisco se volvió a mirar, atontado. Los dos
niños se habían tendido sobre las tejas del gallinero y
se descolgaron por las ramas del almendro con la agili-
dad de dos macacos. Sin hacer caso de sus voces, desa-

parecieron por la escalera de la galería lanzando chillidos.

Por fortuna el sillón de paja estaba en el sitio de costumbre. Don Francisco se dejó caer en él, de espaldas a su maltrecho huerto y, sin poder contenerse ya, rompió a llorar como un niño.

*   *   *

Entre los vecinos del último piso las disputas matrimoniales estaban a la orden del día; por ello, cuando doña Francisca se apostó en el balcón, hostigando con sus gritos al marido, no les hizo caso y continuó dando vueltas al manubrio; sólo después — al bajar don Enrique las escaleras con una bicicleta oxidada y acodarse su mujer en la baranda con los prismáticos — el gitano comprendió que, por una vez, la cosa iba en serio. Sin preocuparse de su eventual clientela, interrumpió la tonada a la mitad.

Don Enrique — en mangas de camisa — infló los neumáticos de la bicicleta y pedaleó en dirección al burladero.

Al llegar allí dio media vuelta, iniciando un circuito entre el chaflán y la farola, de forma que su mujer pudiera verle desde arriba.

"Ella estaba en el balcón muerta de risa, contestando de buen humor a los vecinos que le preguntaban qué pasaba: «Le he dicho que era incapaz de hacer lo que el viejo de Valencia y al pobrecillo se le ha metido en la cabeza la idea de emularlo.» Y en seguida comprendimos que se refería al tipo que pedaleó durante cuarenta horas para cumplir una promesa hecha a la Virgen que esta mañana venía fotografiado en el periódico."

—Él sí que es un hombre — había dicho doña Francisca, agitando el diario ante sus barbas.

—Una cosa así está al alcance de cualquiera — repuso el marido.

—Sí; pero tú no serías capaz de hacerla.

—Bastaría con que lo intentara para...

—Anda. Si te parece fácil, hazlo.

—Si te empeñas...

—Vamos, qué estás esperando...

La historia había corrido de boca en boca provocando la hilaridad de los vecinos. Doña Francisca, en su palco, parecía enteramente feliz. Sin apartar la vista del marido, cambiaba impresiones con sus amigas, hacía cábalas, emitía comentarios. Como era todavía media tarde y el sol apretaba fuerte, envió la muchacha a la dulcería y se hizo traer unos sorbetes.

Decidido a mostrar que no se amilanaba, don Enrique continuaba dando vueltas al circuito. La gente de la taberna se asomaba a verle y aplaudía rabiosamente cuando pasaba.

Hasta que una vez, al dar la vuelta a la farola, la bicicleta había patinado y don Enrique rodó por la calzada de modo aparatoso. Se levantó con el pantalón desgarrado, decidido a continuar la prueba, pero se había dislocado el pie y no pudo cabalgar al sillín. Coreado por los hurras de los vecinos, regresó al piso, vencido por el cansancio y por la pena, mientras doña Francisca, desde el balcón, le fustigaba con sus irónicos comentarios.

El incidente había ocurrido alrededor de las cinco. Ahora el balcón de doña Francisca estaba vacío y en la calle Mediodía no se veía un alma. Pipo agradeció sus informes al gitano y continuó rompiendo las suelas hasta el cuartel.

En la puerta había un grupo de guardias y descubrió con alegría al cabo González.

Hacía más de seis meses que se habían hecho amigos y, a veces, el niño acudía a la salida de las clases.

A González le entretenían mucho los chiquillos y la conversación de Pipo le agradaba. Era un hombre despierto, bondadoso, con cejas disparadas hacia arriba y ojos oscuros y amigables. También él contaba historias de policías y bandidos y aceptaba gustoso las novelas de aventuras del niño.

González debía entrar de servicio al cabo de poco y apenas pudo concederle unos minutos. Pipo se alejó a contrapelo: de buena gana se hubiera quedado allí toda la tarde. Cuando el Gorila salía con Juanita se aburría de modo terrible y no sabía adónde ir ni en qué ocuparse.

Con las manos hundidas en los bolsillos regresó hacia la calle Mediodía.

A medio camino se detuvo y observó la acera opuesta.

Desde que conocía al Gorila, el trato con sus viejos amigos le era insoportable. Su charla monótona le cansaba y siempre que podía les daba esquinazo. Resultaba inútil intentar explicarles sus sueños. A cada paso, con sus mentalidades pedestres, se complacían en recordarle sus fantasías y mentiras, rompiendo de golpe la atmósfera mágica que trabajosamente había creado su amigo.

En cambio, en la Bodega Alicantina se sentía como un pez en el agua. Allí, su imaginación hallaba un ancho campo donde explayarse. Para los compañeros del Gorila era un perfecto desconocido y podía inventarse el destino que más le gustaba. A ninguno se le ocurría decir como a los otros: "Eso que dices es falso", o "Si has vivido siempre aquí no sé por qué quieres hacerme creer que has estado en el Congo". Y todos le creían a pie juntillas, porque en sueños había recorrido toda África, y los sueños, según acababa de descubrir con delicia, se vendían allí por realidades.

No estaba, como en el colegio, etiquetado con una ficha de cartulina, con su nombre, domicilio y antecedentes.

Sus dos vidas, la real y la fingida, confundían totalmente sus líneas en una nueva dimensión, como soñada.

Y Pipo se entregaba, igual que un titiritero, al placer de suscitar nuevas imágenes: siendo muy niño aún, había huido de Filipinas, cuando el desembarco de los japoneses; de Francia, ante el avance de los alemanes; su padre era técnico de aviación y trabajaba al servicio de los aliados; a su lado, Pipo había dado dos veces la vuelta al mundo, combatido con los indios salvajes del Brasil, participado en safaris en Kenia.

Sus historias variaban de un día a otro, pero a nadie le importaba si se contradecían. A veces, Pipo contaba el argumento de alguna novela de aventuras, atribuyendo para sí la mejor parte del relato. Su antigua afición a la geografía contribuía a realzar la variedad de sus viajes y, oyéndose a sí mismo, tenía la impresión de estar recorriendo los continentes sobre una alfombra mágica.

Por eso, cuando vio aparecer en el chaflán un grupo de amigos, se pegó junto al quiosco de periódicos y aguardó a que se alejasen. Cautelosamente, se encaminó hacia la calle Mediodía, seguido del niño sordomudo que daba cabriolas y hacía castañetas con las manos. Su casa, a lo lejos, le atraía y repugnaba a la vez.

Desde hacía una semana aprovechaba la hora de la comida para colarse en el cuarto de su abuela y sustraerle el dinero del bolso. Durante el resto del día la abuela cerraba cuidadosamente con llave, pero a aquella hora no le era posible hacerlo debido a que Antonia quería establecer una corriente de aire con la ventana de la cocina.

—Con esta manía que le ha entrado de cerrar todas las puertas — rezongaba —, acabará usted por asfixiarnos.

Hasta que la abuela había comprendido al fin el motivo de sus frecuentes ausencias en medio de las comidas y se presentó a la mesa con su abrigo, en cuyos bolsillos ocultaba últimamente el bolso. Al verla, Pipo comprendió que sus planes se derrumbaban, pero no quiso darse por vencido. Fingiendo interés en su salud, acudió a toda clase de argumentos para hacerle comprender la conveniencia de mudarse y, aunque la abuela se resistió en un principio, acabó por someterse con los ojos llenos de lágrimas.

—Lo hacía por tu bien, hijito — sollozaba —. Pero si lo prefieres así no quiero que te enfades.

Y a la hora de los postres — mientras ella guardaba los mendrugos que, según Antonia, mordisqueaba a escondidas —, Pipo fue a su habitación y se apropió del billete de veinte duros que había *sobre* la cama.

El niño no se sentía con fuerzas para verla y prefirió continuar su callejeo por el barrio; en él todo le resultaba igualmente vulgar y repetido, pero allí, a lo menos, no tenía necesidad de justificarse. Aburrido, se unió al pequeño grupo de curiosos a quienes el gitano seguía explicando la extraordinaria aventura ocurrida a los vecinos del piso alto.

* * *

Pipo volvió a abrir los ojos; el *otro* continuaba siempre allí. Su rostro reflejaba sucesivamente odio, tristeza, adulación, alegría; esbozaba amables sonrisas que se transformaban en muecas; hacía girar las pupilas como el niño sordomudo; sacaba la lengua.

Decepcionado, interrumpió bruscamente su mímica.

Siempre era él. Por mucho que se esforzaba no conseguía evadirse. Inútil cambiar de nombre, rodearse de gente desconocida, mixtificar el pasado, enmarañar las pistas; su cuerpo continuaba siendo el mismo y nunca lograría abandonarlo.

Sería maravilloso, por ejemplo, despertarse convertido en cualquier otro, intercambiando la personalidad, como una prenda de vestir, en el común guardarropa del sueño. O bien inyectarse una droga que permitiera alterar a voluntad el físico, el sexo y la edad. Sólo de ese modo la gente dejaría de ser prisionera. Lo restante era un triste espejismo, patalear en el vacío lo mismo que muñecos.

Cuando el reloj sonó las cinco, descolgó la chaqueta del perchero y salió a la calle. El Gorila le había invitado a cenar con Juanita y el niño, y Pipo dejó una nota explicando que iba a casa de un condiscípulo a preparar los exámenes. En el cruce de la Vía Meridiana detuvo un taxi y dio la dirección de la Bodega Alicantina. Cuando llegó, doña Rosa le hizo un gran saludo y señaló la mesa en donde su amigo le esperaba. El Gorila tenía los brazos cruzados en actitud meditativa y, por su aspecto, dedujo que había ocurrido algo. Norte estaba enfrente de él, de espaldas a Pipo y, siguiendo la dirección de sus ojos, se volvió para ver quién era.

—Hola, Norte — dijo Pipo —. Hola, papá.

Su amigo contestó con un gruñido como si, hallándose sumido en una reflexión profunda, no desease que le interrumpieran. Durante unos segundos movió la cabeza como para hablar, pero se contentó con esbozar una sonrisa triste.

Con los brazos cruzados sobre el pecho y las vedijas de humo del cigarrillo ofrecía una viva estampa de dignidad ofendida.

—¿Puede saberse qué ocurre? — dijo Pipo.

—Nada — repuso el Gorila, sin abandonar su triste y patética sonrisa —. Absolutamente nada.

—Tu hermano ha tenido un disgusto con la Juanita — le sopló Norte al oído.

—Sí, la culpa ha sido del Gorila — dijo su amigo —. Eso le enseñará a no meterse en camisa de once varas.

—Pero ¿qué ha pasado? — volvió a preguntar el niño —. ¿No teníamos que ir con ella, esta tarde?

—Pregúntaselo a éste — dijo el Gorila, señalando a Norte —. Lo que es yo — añadió, mostrando una mano vendada —, no quiero ni acordarme.

—Anoche salieron juntos Juanita y él — explicó Norte — y se pelearon porque, cuando bajaban del tranvía, ella dejó caer al niño.

—La culpa la tuve yo — dijo el Gorila con amargura —. Si por la tarde, en vez de comprarle unos zapatos de señorita como pedía, le hubiese largado un guantazo, no habría ocurrido nada de lo que ha ocurrido. Pero uno es un pobre bragazas y se deja engatusar por esas putas. Eso me enseñará en adelante a no hacerles caso...

—Juanita no estaba acostumbrada a caminar con tacones y, al bajar del tranvía, tropezó.

—Se lo dije: "Déjamelo llevar a mí". Y ella: "No". Y yo: "Que sí, mujer, que sí". Y ella, tozuda: "Que no". Hasta que, ¡zas!, baja del tranvía, y al suelo.

—¿Y el niño? — preguntó Pipo —. ¿Se hizo daño?

—Nada — repuso Norte —. Un pequeño arañazo en la cara.

—Otra cualquiera, en su lugar, habría cerrado el pico. Pues bien, todavía quería tener razón. Que si esto, que si aquello, que si yo era un bruto, que si era un mal educado... Si no llega a ser porque iba con el niño, la hubiera sacudido en plena calle.

Maquinalmente escanció el resto del vino y encargó otra botella al Málaga. "¿Ya empezamos?", gruñó éste al servírsela. El Gorila optó por callar. La perra, cansada de dar brincos en torno, dormía ovillada a sus plantas. Melancólicamente contempló las últimas luces de los merenderos. Los farolillos emitían destellos de luciérnaga y parpadeaban en lo oscuro. Un soplo de viento le hizo estremecer y llenó de nuevo el vaso. Sabía que iba a emborracharse, pero le daba igual. Previsoramente enrolló la venda de la mano. Málaga, su hija y el salvavidas continuaban hablando del Congreso.

Una pareja de civiles recorría la playa con las linternas encendidas. El reloj de la Cofradía dio las tres de la mañana.

—Señores — dijo el vigilante —, ha llegado la hora de cerrar.

El Gorila bebió apresuradamente el vino de la botella. Todavía encargó otro litro de repuesto y pagó religiosamente al Málaga. Durante el invierno se quedaba a dormir bajo los patines, envuelto en una manta, pero en verano era imposible a causa del bullicio de los bañistas. De mala gana emprendió el regreso al muelle. El mar parecía más negro que antes y embestía la arena de modo sordo. Los merenderos habían apagado las últimas luces y apenas era posible distinguir a unos pasos. El Gorila estuvo a punto de tropezar con un dormido y lo evitó dando un rodeo. Detrás de él percibió un aullido. La perra acababa de descubrir su partida y le seguía a lo lejos, jadeando. Al poco sintió en el pantalón el roce de sus uñas y se detuvo un momento a acariciarla. La perra se tumbó boca arriba gimiendo e intentó lamerle las manos "Ah, puta — dijo —, ah, tunanta." De nuevo emprendió la marcha, bordeando los merenderos, hasta llegar a la calle. La Vía Meridiana estaba desierta: tan sólo, a lo lejos, un tranvía y la lucecilla verde de dos taxis. En la explanada no había luz pero conocía el trayecto de memoria: el quiosco de bebidas que abría a las cinco, la garita de los guardias, el fielato. Creyendo que iba a dormir a bordo, la perra se adelantó hacia los cobertizos. La puerta de hierro permanecía siempre abierta. El Gorila continuó hasta las pilas de cajas adosadas a la peana de la torre. Antes de llegar, un rumor de voces le advirtió que otros se habían adelantado. Los mendigos viejos del barrio formaban tertulia en torno a un barril. El Gorila les reservaba diariamente un plato de pescado, por lo que todos se disputaban su amistad. Al verle, interrumpieron su charla y corrieron a abrazarle, excitados y alegres.

—Anda, ven, tenemos vino, te invitamos.

Él no hizo ningún caso y se sentó aparte con su litro de tinto. Los viejos se olvidaron en seguida de su presencia y reanudaron su charla, confusa y deshilvanada: "Bebe, Vicente." "Sólo un poquito." "Anda, otro trago." Él acomodó un lecho con los sacos y destapó la botella de vino. A su lado, los viejos continuaban haciendo beber a Vicente, que profería maldiciones e intentaba marcharse. Los demás no le dejaban y le obligaban a repetir: "Un trago más." "Sólo uno." El Cama se separó de los otros y le susurró junto al oído:

—Es un complot.

Él enrollaba un saco a modo de cabezal y fingió pasar por alto la frase.

—Le hacemos beber porque Pepe cree que le ha mangado la cartera. Cuando se emborrache le registraremos.

Lanzando un gruñido — el vino empezaba a hacerle efecto —, se tendió sobre los sacos. Inmediatamente le pareció que se disolvía: convertido en una pala de chumbera echaba raíces en el suelo.

Medio en sueños le pareció oír las voces de los mendigos y los gritos de Vicente. Cuando se despertó era más de mediodía.

El Cama estaba sentado en un cajón y le tiraba tímidamente de la manga.

—Tu hermano ha telefoneado a la Bodega y doña Rosa me ha dicho que te avise.

Le entregó una hoja de papel. El Gorila se la metió en el bolsillo.

—¿No la lees?

—Vete a chingar a otro lado.

Se durmió de nuevo, acunado por el ulular de las sirenas y el griterío ensordecedor de las aves. Soñó en Juanita. Estaba casada con otro hombre y pasaba junto a él sin saludarlo. La llamó lleno de angustia. Inútil. Se había vuelto mudo y nadie podía escucharle.

De pronto se encontró en medio de un grupo de chiquillos que conocía de vista, por haberlos encontrado a menudo en el barrio: vestidos con casullas de juguete, desfilaban solemnemente a su alrededor como los sacerdotes fotografiados en los periódicos desde hacía unas semanas. Al ver que se movía, los niños se alejaron dando brincos, ocultándose tras un montón de cajas. Junto a su improvisada yacija quedó sólo una chiquilla menuda, abrazada a un muñeco de trapo.

—No quieren absolverme — explicó al Gorila.

—¿Absolverte?

—Sí. La muñeca es hija mía y la he tenido sin casarme.

La niña se expresaba con voz triste y él se arrodilló para consolarla.

—No les hagas caso — dijo acariciándole el pelo rubio —. Tu tío va a hacerte un regalo y podrás comprarte una bolsa de caramelos.

Le entregó un duro nuevecito, pero la niña lo dejó caer sobre la falda, sin atreverse a tocarlo.

—Es un pecado — la oyó murmurar mientras se iba —. Un gran pecado.

Frente al Depósito de Hielo había una docena de barberos y se sentó en un tonel, esperando turno. Como no había comido en todo el día se sentía muy débil y cerró mansamente los ojos, mientras lo enjabonaban. Todavía soñó en su mujer y en Juanita. El barbero le despertó de una palmada e hizo que se contemplase en el espejo. El Gorila le dio dos pesetas y se encaminó hacia el quiosco. Allí se compró un kilo de pan y una libra de arenques ahumados. El hambre le había impregnado progresivamente de abulia y sintió de golpe una inmensa necesidad de confesarse. Atemorizado, escapó con el paquete bajo el brazo en dirección a la escollera. Antes de atravesar la plazoleta en donde daba la vuelta el tranvía, sintió que alguien corría tras él y se volvió con el rostro congestionado: era Pipo, el precoz, inteligente y querido Pipo, y lo abrazó sin poder contener casi las lágrimas.

* * *

—Una vez, hace algunos años, en la época en que me llamaban todavía señor Gorila (pues aunque me veas ahora tirado como una colilla, llegué a ser patrono de un bar y toda la clientela me llamaba señor Gorila), se me ocurrió la idea de marcharme de casa. Fue durante los últimos meses de la guerra. Aquella zona estaba infestada de submarinos alemanes y no podíamos alejarnos por orden de la Comandancia. Total: que la pesca era escasa y el oficio no daba para vivir. Para salir de apuros decidí cortar madera en África. Mi padre era amigo de un importador de Fernando Poo, que me proporcionó empleo en un barco. Y me embarqué, dándomelas muy felices, sin sospechar siquiera lo que iba a pasarme.

(Pues cuando sales de casa sabes muy bien lo que dejas, mientras que, al volver, ignoras qué encontrarás y, sobre todo, cómo lo encontrarás: si tu mujer se habrá ido con otro; si, durante tu ausencia, habrá tenido un bastardo.)

"En Fernando Poo trabajábamos en una factoría maderera, yo y otros doscientos hombres. Casi todos negros. Sólo cuatro andaluces y yo éramos blancos. Nosotros cobrábamos doble sueldo que los negros y dormíamos en barracones aparte. A las dos semanas me hicieron capataz.

"No sé por qué, el ingeniero me había tomado cariño y me encargó que vigilara el trabajo los días en que él no iba. "Tarzán de los monos", me llamaba. Pues los blancos andábamos también medio desnudos y parecíamos más negros que los bubis. Yo llevaba un casco de misionero y el látigo que dan a los responsables para asustar a los negros. Aunque, si quieres que te diga la verdad, nunca llegué a emplearlo. Los pobres vivían muertos de miedo y me obedecían con sólo mirarles. Hubo uno que se pasó la tarde entera cargando troncos, sin atreverse a decirme que estaba herniado. Me llamaban "massah", que quiere decir señor, y, a los pocos días, me ofrecieron una "mininga".

"«Miningas» es como se llaman allí a las muchachas. Cuando son mocitas los padres las alquilan a los blancos; ellas lavan, cosen, planchan, preparan la comida y se acuestan contigo siempre que se lo mandas. Yo pagaba por la mía un duro diario y, la verdad, no tuve nunca motivos de queja. Lu-Baba (se llamaba así) me fue ofrecida por su hermano: a él le pagaba al principio de cada mes ciento cincuenta pesetas y con él tenía que entendérmelas si algo no marchaba. (Allí las mujeres no pueden discutir y deben obedecer a todo lo que se les ordena. Conozco el caso de una que, por no querer acostarse con su hombre, su padre la mató a bastonazos.)

"Lu-Baba era más mansa que un cordero, y los once meses que vivimos juntos se esforzó en hacerme la vida agradable. Era muy bonita (entre las negras hay mujeres espléndidas); tenía la cara fina, los ojos grandes, los pechos puntiagudos (iba siempre desnuda de cintura para arriba) y los brazos redondeados. Durante el día se quedaba en mi choza, limpiándomela (pues allí las cosas se ensucian a los cinco minutos: cuando llueve, el agua filtra por todas partes; si hace calor, aparecen mosquitos, tarántulas, escorpiones. Ellos ya están acostumbrados; aunque se encontrasen la cama llena de culebras, creo que no se tomarían el trabajo de sacarlas).

"A veces, mientras estaba en la factoría, venía a traerme algún refresco y se quedaba mirándome en un rincón, hasta que me lo bebía. Y todas las noches dormía abrazada conmigo y se ponía muy triste cuando la sacaba de la cama.

"Si te he de decir la verdad, Pipo, acabé por tomarle cariño.

"Lu-Baba era fiel, trabajadora, limpia. Jamás tuvo una discusión conmigo ni necesité regañarla siquiera. Me bastaba mirarla a los ojos y ella adivinaba en seguida lo que quería. Era como un animalito: un animalito listo que se desvivía por agradarme. No sabía hablar español, pero gruñía, reía y ronroneaba igual que un gato. Un día se me ocurrió explicarle la historia de mi vida en dibujitos y a ella le gustó tanto la idea que luego me perseguía siempre con la libreta y el lápiz. Otras veces me entretenía hablándole en español, como hacemos con los animales. "Te voy a partir las costillas, Lu-Baba", le decía; pero ella creía, por mi sonrisa, que le decía algo cariñoso y venía a acurrucarse a mis pies para que la acariciara. En cambio, le decía con voz muy seria: "Me gustaría vivir siempre contigo" y ella, entonces, inclinaba la cabeza y se iba.

"Oh, pero no creas que se dejase engañar fácilmente; Lu-Baba no tenía un pelo de tonta. Un día me enseñó un dibujo que había hecho mientras trabajaba: yo, con mi casco, mi bigote y mis tatuajes; ella, con una capa que le llegaba hasta los pies y el pelo lleno de lazos; y, en medio, otro como yo, pero de color negro, cogiéndonos de la mano. Al comprender su significado rompí el dibujo y Lu-Baba, la pobrecilla, se pasó la noche llorando. Desde entonces perdió afición a las historietas y, aunque sonreía si le enseñaba alguna, me di cuenta de que lo hacía para agradarme.

"Entretanto yo iba ahorrando tela para volver a Canarias. En once meses, casi veinticinco mil. De vez en cuando enviaba a mi mujer un sobre con dinero y esperaba regresar para entregarle lo que tenía y poderle comprar ropa en Tenerife. Aunque ella no escribía nunca, yo no me preocupaba. Eso de escribir es para gente que tiene cosas que decirse; pero, dos desgraciados como ella y yo, ¿qué íbamos a contarnos? Si no sabemos ni hablar decentemente, ¿a qué perder el tiempo echándonos flores? Los que han nacido brutos, brutos son. Por mucha cultura que se les meta en la cabeza, continuarán siendo animales. Eso me decía yo. Y, aunque mi madre tampoco daba señales de vida, no di a su silencio ninguna importancia.

"Hasta que un día me vino la nostalgia de mi tierra y sentí la necesidad de regresar. Hablé con el patrón (don Enrique Miranda Tubau se llamaba). No quería dejarme ir. Estaba contento de mí y me ofreció un aumento; pero yo sólo pensaba en mi hija y mi mujer (ojalá le hubiese hecho caso, a estas horas sería jefe de capataces y me habría convertido en propietario) y, en vista de ello, habló con un empresario belga del Congo y me encontró plaza de palero en un barco mercante.

"Faltaba tan sólo por resolver la cuestión de Lu-Baba. El día antes de mi partida fui a un almacén de Santa Isabel y le compre un traje de colores. Cuando llegué a casa se lo entregué, dándole a entender que era un regalo, pero ella no quiso aceptarlo. "Mucho dinero", dijo (pues, últimamente había aprendido algunas palabras). "Dinero — dije yo — para Lu-Baba." Ella entonces empezó a reír de contenta y se lo puso delante de mí. Le caía chico, tú: la falda le quedaba encima de las rodillas, la blusa apenas le cubría los pechos, pero le daba igual. Nunca había tenido ningún vestido y se debía creer no sé qué... Al ver que yo reía se puso mi sombrero de paja y empezó a ir de un lado a otro, moviéndose como un animalito.

"Estaba tan alegre que creí que, cuando le dijese que me iba, no se entristecería demasiado. "Me voy — le expliqué haciéndola sentar a mi lado —, me voy a España." Ella no me entendió o hizo como que no entendía. Entonces cogí un lápiz y un papel. "Hombre-bigotes — dije — se va en barco. Lu-Baba se queda en tierra." Creyendo que me iba en uno de los barquitos fluviales corrió a prepararme un envoltorio con comida. Yo la hice sentar y le enseñé un nuevo dibujo: "Isla pequeña: Fernando Poo. Tierra grande: España. Hombre-bigotes y Lu-Baba están en Fernando Poo. Yo tomo barco y me voy a España."

"Como tampoco daba señales de comprender empecé a recoger mis cosas y las metí en el baúl. Lu-Baba me ayudaba cantando y me alegré de que fuese así. "Lu-Baba lista — dije —. Lu-Baba buena chica." Aunque no podía entenderme le expliqué que la echaría mucho de menos y que, si volvía de nuevo por Guinea, la tomaría otra vez por mujer. "Lu-Baba encontrará otro hombre-bigotes — le conté —. Lu-Baba volverá a ser feliz."

"Como el barco atracaba de madrugada preferí quedarme despierto. El patrón me había regalado un barrilito de whisky y me lo fui bebiendo poco a poco. Lu-Baba tampoco tenía sueño y no quiso echarse en la cama. Al ver que bebía se puso muy intranquila y se acurrucó a mis pies, sin atreverse a mirarme. La habitación se había llenado de mosquitos y encendió fuego para alejarlos. Al volver a tenderse, me agarró fuertemente la mano y la apretó contra su pecho. Cuando dieron las dos me encaminé hacia el puerto con el baúl al hombro. Lu-Baba me seguía detrás, tropezando por culpa del vestido. Al llegar al muelle, el barco había atracado. Entregué mi documentación al oficial y unos negros subieron el baúl a bordo.

"Era la hora de partir. Me volví hacia Lu-Baba y le dije: "Adiós, Lu-Baba". Ella me miró sin comprender. No le cabía en la cabeza que pudiese irme solo e imaginaba quizá que iba a llevarla a España. O tal vez creía que bromeaba y se esforzó en sonreír. Pero sus ojos brillaban de terror y bajé la cabeza avergonzado.

"Todo el mundo había subido a bordo y no faltaba más que yo. "Adiós — volví a decir —. Me voy a España." Ella no se movía aún (como aguardando un milagro). Y al ver que me embarcaba, dio un grito y se tiró al agua vestida.

"Yo la había llegado a querer, Pipo; y lo más probable es que, de no llevar tanto whisky encima, en lugar de dejarla allí hubiese vuelto a tierra, a su lado. Porque Lu-Baba me quería de verdad, ahora me doy cuenta, y no la mujer que tenía en Canarias. Si hubiese sido un poco listo me habría quedado en Fernando Poo con ella o la habría llevado a España conmigo. China o negra,

que más da. Lu-Baba era trabajadora y fiel, y esto es
lo que yo necesitaba.

"El viaje duró catorce días. Cuando fondeamos en
Amberes era media mañana y el capitán dio un permiso
de veinticuatro horas. Yo salí a dar vueltas por la ciudad
vestido así, tal como voy ahora y, no sé qué pasaba, la
gente se volvía a mirarme. Hablaban en francés, qué sé
yo, en flamenco, crik, crak, como si trituraran clavos. Un
marino amigo mío me acompañó al barrio de las mujeres y, cuando entré en él, retrocedí, creyendo que me
había equivocado.

"La calle estaba llena de vitrinas iluminadas con luces de colores y dentro de cada vitrina había una mujer
elegantísima, sentada en un salón. Ay, caray. Me apoyé
en la esquina con los brazos cruzados y me puse a reflexionar. Luego empecé a caminar poco a poco, mi-
rándolas de una en una y, aunque muchas me hacían
señas con la mano, no me atreví a entrar. «No, no es posible», pensaba: «esas damas no pueden ser mujeres de
la vida.» Y, como un tonto, rebotaba de una acera a
otra, contemplándolas, cada una iluminada por una luz
diferente, encerradas detrás de las vitrinas, como sirenas
dentro de un acuario.

"Eran señoras, Pipo, auténticas señoras, vestidas con
trajes ceñidos, como artistas de cine. Tu hermano las iba
mirando una tras otra y se rascaba la cabeza como un
tonto. ¡Volvedme a bordo que me mareo!... Hasta que
una abrió la puerta y me hizo entrar en su casa. Entonces comprendí que no me confundía y empecé a mugir
como un toro, mientras la mujer se moría de risa y me
decía cosas en su idioma. Cuando salí estaba excitado
aún y me fui con la mujer de al lado. Y luego con la siguiente. Y así me hubiera pasado la vida si, de mañana,
no llega a salir el barco.

"Te he contado todo eso para que veas que no

pretendo hacerme el mártir y que no doy a mi mujer las culpas de lo ocurrido. Cuando un hombre está sólo si va con una amiga, dos, tres, o las que quiera, no destruye a la familia ni hace daño a nadie. Pero qué caray, una mujer es una mujer; si el marido está ausente, tiene la obligación de aguardarlo.

"Llegué, pues, al pueblo, ignorante de lo que sucedía y en seguida vi que la gente me miraba de modo raro. "Hola, señora Lola." "Hola, Gorila." "¿Qué tal la salud, desde que me fui?" "Ya ves, tirando." Y cada vez que preguntaba por la Josefa o por la niña, nadie quería contestarme... La casa donde vivíamos estaba en las afueras. Una casa pequeñísima, no te vayas a creer... Yo iba cargado con el baúl, saludando a todo el mundo: "Hola, Antonio", "Hola, Trinidad".

"Por un momento pensé que mi padre había hecho una estafa. Como manejaba el dinero de la Cofradía y siempre le ha gustado jugar... Llego a casa y la encuentro cerrada. Pam, pam. Silencio. Las persianas bajas, la puerta cerrada con candado. Pam, pam, pam. Nada. Al lado vive la tía Marina y voy a ver qué pasa: "Hola, tía Marina". "¿Qué tal, Gorila?", contenta porque me quiere mucho. "Ya lo ves, de vuelta." Como ella no dice nada le pregunto: "¿Y mi mujer? ¿No está en casa?" Ella pone una cara muy rara. "No — dice —, no vive ahí." "¿Ah, no? — digo yo —. ¿Dónde vive?" Y ella se echa a llorar: "Pregúntaselo a tu madre".

"Otra vez en la calle, con el baúl a cuestas. Continuaba caminando, pero ya no sabía qué me hacía. Calle Progreso. Calle Guimerá. Cuando llego mi madre empieza a dar gritos: "¿Qué coño pasa?", digo yo. "Una desgracia — me dice —, una gran desgracia." Y una vez dentro me lo cuenta todo: "La Josefa se ha liado con tu hermano".

"Con mi hermano, fíjate. Yo, que durante un año me había partido los riñones en Guinea para traerle veinte mil pesetas de regalo, me la encuentro liada con Primitivo. Y es que las mujeres, Pipo, son peores que las gatas. Cuando ella estuvo enferma me tiré una noche más de sesenta kilómetros en bicicleta para buscar un médico y encima le di yo no sé cuánta sangre. Desde que nos casamos, no había mes, por pobre que estuviera, que no le hiciera algún regalo: "Gorila, cómprame eso", "Gorila, necesito aquello", y yo, dale que dale, como un tonto, comprando. Y así me lo pagaba.

"No podía tenerme en pie, te lo juro. Mi madre, al ver qué cara ponía, la pobre, daba gritos: "No te pierdas, Gorila, no te pierdas. Déjales que se pudran". Me preparó de comer: una chuletas de cordero con maíz hervido. Luego me arregló la cama del cuarto de arriba. Durante toda la tarde estuve tumbado allí, para tranquilizarla. A la noche, cuando ya estaba más sereno, bajo. "No, no — me grita ella —. No salgas, hazlo por mí." "Quita — le digo —. No voy a buscar pelea. Sólo voy a la playa un poquito porque quiero ver mi barca." Y no hago más que llegar y verla, cuando ¡zas!, no sé lo que me pasa y me pongo a llorar como un chico...

"De haber sido capaz de razonar, me habría largado de las Islas; pero no sabía lo que me hacía. Andaba como loco (tan sólo topé con la niña un día: la criatura tenía entonces cinco años y, al verme, me amenazó con la mano: "Papa feo — dijo —, papá malo", lo que le había enseñado su madre, claro). Pero el golpe me había alcanzado de pleno y, tarde o temprano, su efecto debía manifestarse. Pues todo lo que nos hace daño alguna vez se queda dentro y sale cuando menos lo pensamos. Y a veces son inocentes quienes pagan, en lugar de pagar los culpables.

"Total: que de la noche a la mañana me vi convertido en asesino, fichado por la policía, y desde entonces, voy de un lado a otro, tirado como una colilla, sin poderme acercar a Canarias.

"Tú me conoces bien, Pipo, y sabes que no te engaño. El Gorila puede ser un borracho, un mujeriego y un perdido, pero asesino, nunca. Yo he sido siempre un hombre de orden, de derechas. En mi vida he matado a una mosca. Y, si era incapaz de tocar un pelo a mi mujer aun después de lo ocurrido, ¿cómo pude matar, si no es porque estaba loco, a un hombre que no me había hecho ningún daño?

"Pues el Gorila no mata a nadie, policía o no policía, porque le llame la atención cuando está con una conocida en la playa. El Gorila no es un criminal. En aquel momento estaba chiflado y no sabía lo que me hacía. Y, cuando me di cuenta, era demasiado tarde.

"De modo que no tuve más remedio que huir y engancharme en la Legión francesa. Habría podido quedarme allí, pero esas cosas que ocurren: me entró la nostalgia de España. Hasta que un día, hace dos años, deserté, y aquí estoy: esperando que me atrapen.

* * *

Una doble fila de bloques de cemento protegía el paseo marítimo del embate de las aguas. Los de delante estaban medio enterrados en la arena y emergían como dorsos de peces gigantescos, festoneados de espuma; los de atrás se adosaban a la baranda exterior del paseo y se veían concurridos por parejas y pescadores.

Aunque la playa hormigueaba de bañistas, a medida que el sol bajaba se habían eclipsado poco a poco.

Pipo sólo vio una nodriza con un crío y un grupo de curas jovencitos. Mientras el Gorila, concluida la historia, meditaba con la vista perdida en el horizonte, el niño se entretuvo en contemplarlos. Los curas parecían extranjeros por su aspecto, su voz, sus ademanes. Recogiéndose la sotana por encima de las rodillas gritaban excitadísimos al sentir en sus plantas la húmeda caricia de las olas.

Cuando creyó que el corazón normalizaba el ritmo de sus latidos, se volvió hacia su amigo, buscando su mirada. El Gorila continuaba observando el mar, lejano e impenetrable y, de pronto, como si hubiera adivinado cuanto quería decirle, se volvió hacia él y le puso una mano sobre el hombro. (Su mano era grande, callosa, con un caparazón de durezas que se extendía desde la muñeca hasta la punta de las uñas, como si en lugar de ser carne y hueso se hubiese convertido en un útil de trabajo.)

—Todo lo que te he dicho debe quedar entre tú y yo... Un secreto que vamos a tener los dos juntos. — Los párpados medio cerrados impedían ver las pupilas en donde un charquito de luz brillaba de ordinario. — ¿No se lo dirás a nadie, verdad? ¿No querrás que cojan a Gorila por tu culpa?

Pipo no pudo contestar porque sus ojos se habían llenado de lágrimas y tenía miedo, con sólo abrir la boca, de ponerse a llorar como un niño. La confesión de su amigo le había llegado al fondo del alma. Era el testimonio definitivo de su amistad; el milagro por el que tanto suspiraba. Si el Gorila era un asesino, él sería su cómplice. La revelación había creado entre los dos un vínculo irrompible: una zona cerrada, hermética, a donde no tendrían acceso Juanita ni ninguno de sus amigos; una plataforma-isla sin presencias hostiles, vedada a sus restantes camaradas.

En aquel instante hubiera deseado poder contar también algo terrible para sellar con una confesión recíproca la amistad que en lo futuro debía encadenarles: un suceso sangriento, mortal a ser posible, en el que le hubiera correspondido un papel destacado; por desgracia, la lista de sus delitos comprendía tan sólo hechos insignificantes: latrocinios, mentiras, alguna que otra pedrada a un gato.

Por unos segundos estuvo tentado de inventar algo: el estrangulamiento alevoso de una inválida, como en la película de la última semana o, mejor aún, un asalto nocturno a un salón de fiestas, pero el momento era tan solemne que le pareció sacrílego profanarlo con sus mentiras y se contentó con ofrecer a la mirada inquisitiva del Gorila un rostro sereno y confiado.

—No te preocupes — dijo —. Tendrían que matarme antes.

Lentamente emprendieron el regreso por el dique, perseguidos por las risas agudas de los curas y el grito estridente de los pájaros. El Gorila caminaba absorto todavía en su crimen y Pipo sentía en su hombro el sólido contacto de su mano. La idea de guardar un secreto frente a todos le colmaba de orgullo. Era como tener un tesoro sin que los demás lo sospecharan. (Una vez, hacía varios años, se había dedicado a coleccionar tapones de gaseosa y cerveza. Los guardaba encima del armario bien ocultos y, cuando nadie le veía, acudía a contemplarlos. Eran la única cosa propia, verdaderamente suya, cuyo secreto no compartía con nadie. Hasta que Antonia los descubrió un día y, desde entonces, dejaron de interesarle.)

Cuando, al llegar al muelle, le explicó que se quedaba a dormir con ellos, su amigo expresó su satisfacción invitándole a beber un trago en el quiosco. Su inquietud de hacía unos instantes se había desvanecido y, al entrechocar los vasos en un brindis, sonreía con la alegría de siempre.

Norte les aguardaba a bordo del "Venadito" y, al verles, les saludó refunfuñando. Andaba resentido contra el Gorila — que no había dado señales de vida en todo el día —, pero lo olvidó en seguida al enterarse de que Pipo se quedaba.

Con el arroz del mediodía preparó una sopa de pescado y, aunque el Gorila había comido poco antes, la despachó también con apetito. Luego — como ya era de noche y debían salir a las cinco —, Norte saltó a la barca vecina y volvió con un par de mantas.

—Aquí lo hacemos así — explicó a Pipo —. Cuando nos falta algo, lo tomamos de la barca de al lado. De este modo siempre somos ricos.

Sentados en cuclillas en torno a la cazuela, los dos hombres fumaron el último cigarrillo de la velada. Bajo los focos del muelle, las demás embarcaciones dormían. El mar estaba inmóvil, como un espejo oscuro. Las luces se reflejaban en el agua igual que serpentinas. La torre del transbordador, después de los fuegos de la víspera, volvía a ser un esqueleto gigantesco. No se oía en torno ni un grito ni una voz. Sólo el lastimero crujir de alguna barca.

La cámara de popa era pequeña y se iluminaba con una lamparilla de petróleo. Norte había improvisado un lecho entre las literas, con un cabezal y una manta. Pipo quiso instalarse en él, pero el Gorila le obligó a ocupar su petate.

—No quiero que por mi culpa mañana te levantes con reúma — dijo.

Norte ajustó cuidadosamente la trampa de la escotilla y Pipo creyó vivir las incidencias de un sueño. Dormía en una litera como los marinos que admiraba en las películas y, desde hacía unas horas, era cómplice de un crimen terrible. Al revelárselo, el Gorila se había desprendido de una parte de su culpa, traspasándosela a él, como un fardo. En un bolsillo guardaba un pedazo de papel y, mientras fingía desvestirse, garabateó con un lápiz: *Te quiero*.

En un momento en que Norte no miraba entregó el papelito a su amigo y, acechó, mientras el viejo canturreaba a media voz.

El Gorila lo leyó con cierta sorpresa. Tras acariciarse el bigote unos segundos — que parecieron al niño interminables — rompió a reír, visiblemente halagado.

—Así me gusta, Pipo — dijo —. Siempre hay que querer a los amigos.

Norte apagó la lamparilla y Pipo ya no pudo ver su cara.

Acodado en el cabezal, aguardó no sabía qué, con el corazón palpitante: cinco, diez, quince minutos, pero el Gorila no daba señales de vida. Durante largo rato escuchó la melopea de sus ronquidos, hasta que el sueño acudió también a él, haciendo pesar como de plomo la azulada medialuna de sus párpados.

* * *

"La muy cochina." "Déjala; no pienses más en ella." "Durante más de un año he estado trabajando como un negro. No ha habido mes que no le enviara algo." "No te escribí, creí que lo sabías." "Nadie me dijo nada; ni siquiera mi madre." "Te lo advertí antes de que os casarais." "Volvía con cerca de veinte mil pesetas. Pensaba cubrirla de regalos." "Pues que se joda. Ahora los luciré yo." "Estoy loco. No sé lo que me hago." "Estás conmigo en la playa, al lado de tu Gloria." "El día menos pensado haré un disparate." "Olvídala. Déjala que se hunda." "Es algo más fuerte que yo." "Entonces abrázame, como yo te abrazo." "En cinco años de casados nunca le falté el respeto." "Pues enséñale lo que es querer, a la puta esa. Como hace cinco años, en el campo." "Si te hubiese hecho caso..." "Fuerte, querido, más fuerte." "La muy puerca. Oh, la muy cochina." "Así, así, para que aprenda." Él sentía bajo su cuerpo el cuerpo de ella; como en sueños contemplaba sus ojos entornados, la boca roja... "Así, así, otra vez." "Si ella, oh, si ella..." Hasta que un brochazo de luz había hecho plenamente sensible la dolorosa tensión de sus caras: "En pie. La juerga ha terminado". El carabinero había surgido detrás de unos arbustos y les apuntaba con el cono de luz de su linterna: "¿No saben que este es un lugar público? ¿No saben que está terminantemente prohibido hacer lo que ustedes hacen?" La lámpara permitía ver tan sólo la parte inferior del uniforme: las botas polvorientas, el pantalón grisáceo, los rojos galones de la manga. "Señor cabo — dijo él, incorporándose —. Había salido con mi novia a dar una vuelta y, ya sabe usted, esas cosas que pasan..." "Eso ya nos lo explicarán ustedes en el cuartelillo." "Señor cabo, mi novia es soltera y no quisiera que nadie..." "No hay señor cabo que valga." Un rayo de luz iluminó un rostro seco, que le trajo a la memoria la faz aborrecida de su hermano. "Vamos; en marcha." Algo en su interior trataba de ponerle en guardia contra el peligro, como si una parte de sí mismo, adelantándose vertiginosamente al curso de los hechos, hubiese tenido tiempo de regresar para anticiparle el resultado: "No, no lo hagas." La mujer, eterna Eva con su manzana, le soplaba canallescamente en el oído: "Golpéale. En el bosque te será fácil tumbarlo", mientras a su alrededor todo enmudecía y la marisma se poblaba de seres espectrales: Josefa, la mujer, y Primitivo, el hermano, amándose a la luz de la luna, provocándole. "No, no lo hagas", queía decirle. En virtud de un extraño desdoblamiento, podía verse a sí mismo, como si fuese un espíritu y tuviera la facultad de multiplicarse. Pero habían entrado en el bosque y no era posible romper el maleficio: la misma arena fina amortiguando el eco de sus pisadas, el mismo celaje color gris plomo de las nubes, y los plátanos, como desamparados pájaros de alas negras, parodiando la inmovilidad de un decorado de teatro. Su doble se abandonaba blandamente a su destino y, lo que más atrozmente temía, volvía a realizarse. Sin saber cómo, se encontraba con la piedra entre las manos. Una piedra dura, lisa. Quiso gritar, romper el hechizo. Imposible. Siguiendo el rito establecido, su doble la había aplastado en la cabeza del hombre mientras alrededor la vida se detenía y hasta los grillos interrumpían su canto...

Cuando abrió los ojos, Norte leía un diario sentado al borde de la litera. La trampa de la escotilla estaba abierta y, sin moverse, contempló el cielo azul.

Debía ser alrededor de las seis.

Las demás barcas habían salido una hora antes y, ahora, se hallaban junto al muelle.

—¿Puede saberse en qué soñabas? — preguntó Norte, sin separar la vista del periódico —. Parecía que una legión de demonios te tirase de las piernas.

Él se contentó con lanzar un gruñido e hizo ademán de desperezarse.

A pesar del jersey de algodón tenía frío y volvió a arrebujarse entre las mantas.

—¿Has leído el resultado del sorteo? —preguntó su amigo.

El Gorila hizo un movimiento con los hombros, dando a entender que no sabía de qué se trataba.

—Mira; lee aquí. Donde dice "Fallo del Gran Concurso *Chocolates El Gato*."

El Gorila no se movió.

La pesadilla le había llenado de cansancio y se sentía invadido por la pereza.

—Daban una serie de premios: un coche "Renault", un viaje de tres semanas por Italia... Según dicen, había más de diez mil participantes. Pues bien, ¿sabes a quién ha tocado? — Aguardó unos segundos para decir —: A don Melchor de la Cueva, delegado del alcalde.

El Gorila ahogó un bostezo y cogió finalmente el periódico.

El anuncio estaba ilustrado con numerosas fotografías del acto del sorteo y de la entrega del automóvil y los pasajes al secretario particular del agraciado.

—Como si no tuviera ya suficiente dinero en los bolsillos — dijo Norte —, encima la suerte hace que le toque un coche.

—Bah. Ya se sabe — cortó el Gorila —. En este país...

Sentado en cuclillas en el jergón, contempló la litera donde el niño dormía apaciblemente, abrazado al cabezal de paja.

—Míralo — dijo, señalándolo a su amigo —. Parece un cachorro.

Pipo asomaba las rodillas fuera de la litera y el Gorila se las arropó con sumo cuidado. Después, recogió las mantas de su jergón y trepó por la escalerita a cubierta.

El reloj de la torre marcaba las seis y media en punto. El sol acababa de salir tras las barcas del varadero y sus rayos hacían visos de colores. El Gorila se quitó el jersey de algodón y saltó a tierra. Bordeando la verja del muelle de las Subastas se encaminó hacia las fuentes adosadas al Depósito de Hielo. Allí, zampuzó la cabeza en el agua y se afeitó sin enjabonarse. Luego se dirigió al quiosco y se tomó un porrón de vino blanco. En el almacén compró un puñado de bizcochos para Pipo, un kilo de pan y media docena de tomates.

Cuando llegó, Norte acababa de poner el motor en marcha. Había algo en el pistón que, desde hacía unas semanas, no funcionaba como era debido. Aquella mañana, por fortuna, prendió sin dar trabajo. El Gorila se aplicó a baldear la cubierta y, al concluir, bajó por la escalerilla a la cámara de popa. El niño dormía todavía y refunfuñó al sentir el contacto de la mano.

—Anda, valiente — ordenó —: Que estamos levando anclas.

Pipo le miró sin comprender. Se incorporó de la litera y contempló asombrado la escotilla.

—¿Salimos ya?

—Sí — repuso el Gorila.

El "Venadito" abandonó la protección de los tinglados y avanzó lentamente hacia la dársena. Sentado junto al timón, el Gorila marcaba la ruta con una ligera presión del brazo en los guardines. Norte estaba, como siempre, en la cámara del motor. Pipo iba de un lado a otro, haciendo preguntas:

—¿Qué clase de barco es aquél?

—Un gánguil.

—¿Y el de detrás?

—Ése es una draga.

De pronto, al llegar al Muelle de la Patria avistaron un gran transatlántico. Prudentemente, el Gorila cambió de dirección. El barco, uno de los mayores que entraban en el puerto, estaba pintado de colores vivísimos. Al poco se dio cuenta de que iba escoltado por un cañonero y, dejando el timón al cuidado de Pipo, izó la bandera en el palo.

—Cuando pasa un buque de guerra — explicó al niño — tenemos la obligación de saludarle.

El transatlántico venía a su encuentro muy de prisa,

anunciado por las sirenas de la Comandancia. La brisa
traía a sus oídos un ruido confuso de voces. El Gorila
se hizo pantalla con los dedos. En el puente había una
banda de música.

—¿Qué ocurre? — preguntó el niño.

—Son los peregrinos que vienen para el Congreso
— explicó Norte.

El barco pasaba ahora a un centenar escaso de metros y era posible descifrar la inscripción de los carteles:
El mundo se salvará por la fe, Dios en todas las almas.
El pasaje que cubría la cubierta ofrecía un aspecto abigarrado y policromo. En medio de la gente, el Gorila
pudo ver a un grupo de señoras que entonaban el Credo
Mariano bajo la dirección de un sacerdote.

El "Venadito" se columpiaba lo mismo que una
cáscara. Estaban casi al final de la escollera y el mar
empezaba a rizarse. Pipo iba todavía de un lado a
otro, pero con menos entusiasmo. Guiándose por la
torre del transbordador, el Gorila localizó en seguida el
emplazamiento de las nasas. Norte inmovilizó el motor
y, mientras él tiraba del cabo, vació la pesca en los
toneles. Luego, volvió a calar las nasas vacías y se
sentó a fumar un cigarrillo.

Entonces se dio cuenta de que Pipo permanecía silencioso y se incorporó a ver qué ocurría. El niño estaba
sentado en la roda de proa con el rostro muy blanco y, al
sentir el contacto de su brazo, le contempló afligido.

—Me he mareado — dijo a media voz.

Esperaba tal vez una mirada de desprecio, pues sus
ojos expresaron un reconocimiento infinito cuando el
Gorila se echó a reír.

—También yo vomité el primer día — dijo —.
Y creo que el mar estaba menos picado que hoy.

El niño se dejó llevar entre tímido y desvalido. El
Gorila le revolvió el pelo con la mano.

—Eso les ocurre hasta a los hombres, de modo que no tienes por qué preocuparte. Anda, quédate ahí y fuma un cigarrillo conmigo.

— Iso [...] hombre, de modo que
no [...] preocupa [...] año, que es [...] el [...]
[...] ella [...]

CAPÍTULO SEXTO

Los periódicos anunciaban numerosos viajes a Italia:
Circuito gigante (veintidós mil pesetas), *Italia artística* (dieciséis mil), *Licuefacción de la sangre de san Jenaro* (presupuesto individual según los casos); pero, en lugar de animarle como los otros días, le parecían casi un insulto.

Con su manita helada, Pira revolvió en el interior del monedero. Después de los sorbetes de la víspera, su fortuna se reducía a una moneda de dos reales. Guardaba en el cofre un paquetito con marcos de la inflación; los había comprado una mañana en el Rastro madrileño creyendo hacer un negocio: "Toma, pequeña — le dijo el hombre al entregárselos —. Ahora eres multimillonaria". Según pudo comprobar luego aquellos billetes no servían.

Quedaba el resto de sus enseres: vestidos, zapatos, muñecas, mascarillas, pulverizadores de perfume, bolitas de vidrio.

La tarde del día anterior, aprovechando la ausencia de Piluca, había cargado con todo en una maleta y se detuvo ante la puerta de un banco.

—Vengo a vender esto — dijo, mostrándole el interior al policía de la puerta.

—Aquí no compran objetos, niña — dijo el hombre —; para eso debes ir a una tienda de ropas usadas.

Sin desanimarse, Pira consultó en la guía telefónica, sección profesiones. Había allí media docena de casas de compraventa, una de las cuales, casualmente, estaba en el barrio.

—Por eso no te podemos dar nada, hija mía — dijo el señor que salió a atenderla —. Es decir, nada razonable.

Además le hizo saber que, siendo menor de edad, necesitaba un permiso escrito de su padre (Pira hizo un movimiento de cabeza indicando que era huérfana), madre (idéntico movimiento, porque su madre no existía para ella) o persona encargada de cuidarla (tenía un tío, dijo, pero enfermo e imposibilitado).

—En ese caso, hija mía, nadie querrá correr el riesgo. La ley nos lo prohíbe.

Decepcionada, Pira regresó con la maleta a cuestas. Sólo había una solución: ir a pie. Pero, pese a que todos los caminos conducían a Roma, no estaba muy segura de llegar si no la guiaba alguien. Y allí empezaban de nuevo las dificultades. Salvo Piluca, que en este caso sería más bien un estorbo, no conocía a nadie dispuesto a hacerlo.

La niña se llevó la mano a la frente y rechazó el pelo que le caía por la cara. Ninguna solución parecía posible de no intervenir un milagro.

"El milagro puede ocurrir en cualquier sitio", decía su profesor de catecismo. Sin embargo, algo, en su interior, la advertía que debía ir en su busca. Allí, en el jardín, rodeada de primos estúpidos que corrían bajo las ramas de Parsifal haciendo "¡Huu! ¡Huu!" — como la pobre doña Cecilia a causa de su tumor en la garganta — el milagro parecía sumamente improbable.

Piluca estaba sentada enfrente de ella, sombría y silenciosa. Tal vez sospechaba ya lo ocurrido y, temiendo su cólera, no se atrevía a preguntarlo... Pira se puso la

cinta de terciopelo ante el espejo e hizo los habituales
preparativos de marcha.

Sabía que su prima le dirigía una mirada de súplica
y, cruelmente, optó por ignorarla.

—¿Te vas?

—Sí, tengo necesidad de airearme.

—¿Puedo acompañarte?

—He dicho que necesito airearme. Si no fuese así
me quedaría contigo.

—Esta tarde estaré todo el tiempo fuera — sollozó
Piluca —. Hay un Tedéum a las dos y no podré verte
hasta la noche.

—Por favor — murmuró Pira —. Me fatigas.

El espejo le devolvió un rostro pálido devorado por
los ojos salpicados de mica, y un aura de pelusa amari-
lla, rebelde a la cinta de terciopelo.

—¿A qué hora volverás? — preguntó Piluca.

—No lo sé — dijo —. No tengo la más pequeña
idea.

Tonio la siguió hasta el interior de la casa haciendo
"¡Huu!", pero se detuvo cuando María salió de la sala.

—Debería darte vergüenza portarte de este modo,
mientras tu madre...

Pira cerró cuidadosamente la puerta y corrió escaleras abajo. Necesitaba luz, colorido, alegría, y la casa
de sus tíos era como un cementerio. Allí todo le recordaba la vida de la que deseaba evadirse: la grosería de
los chiquillos, las sábanas poco limpias, la cena recalen-
tada. Ella había nacido para vivir en un castillo, rodeada
de loros, cisnes y enanos. Su padre era el dueño de este
castillo, y llegaría hasta él fuera como fuese.

Desde hacía unos días, pasear constituía un agradable pasatiempo. La ciudad era un hormiguero de gentes
curiosísimas que se entendían hablando idiomas extraños. Unos llevaban emblemas y banderitas; otros, mo-

chilas y cámaras de cine. Había también infinidad de curas con hermosos uniformes y barbas patriarcales que alargaban bondadosamente la mano a los fieles que querían besársela. Algunos, más bonachones todavía, consentían en estampar su firma en las libretitas que les alargaban los chiquillos.

Según Pira había podido darse cuenta, los recolectores de autógrafos eran siempre los mismos y se reunían en la pendiente de la Calle Mediodía, en una especie de mercado. Sus primos Tonio y Ricardo formaban parte de la pandilla. Durante mucho tiempo les había dado por almacenar botones, canicas y cromos de chocolate. En aquel momento su manía consistía en coleccionar firmas a fin de revenderlas.

Aquella mañana el barrio estaba bastante animado. Unos obreros, en mono blanco, pegaban en las paredes de las casas cartelitos con inscripciones que decían: *"Nuestras calles no son poblados del Congo ni escaparates para la inmoralidad"*, *"Hay que barrer la desvergüenza de la vía pública"*, *"Una mujer indecorosamente vestida es un insulto a nuestra dignidad ciudadana"*. Y un grupo de niños les seguía de casa en casa, mirándolos con la boca abierta, sin cansarse.

En el comienzo de la carretera un anillo de curiosos rodeaba a un hombre que cargaba un cartel sobre los hombros — como los viejecitos que vio un día, disfrazados con pijamas de colores, anunciando por las principales calles y paseos la llegada del Circo —. Pira se abrió paso entre la gente y leyó:

UNIJAMBISTA FRANCÉS

(Católico)

El hombre tenía, en efecto, una sola pierna y se mantenía erguido gracias a un bastón. Era un individuo de mediana edad, de pelo ondulado y negro y piel rojiza, como sometida mucho tiempo al sol. Llevaba una camisa tejana de algodón y una mochila, que servía de soporte al cartel, colgada de la espalda. Su pantalón, corto, era de gruesa tela caqui. De él brotaba una maciza pierna velluda, protegida hasta la rodilla por un calcetín. Su único pie estaba calzado por una bota de futbolista anudada por una llamativa cinta roja.

El hombre aguantaba la curiosidad de los reunidos con inmovilidad absoluta, como si su rostro fuese una mascarilla de cuero y sus ojos dos bolas de vidrio ahumado.

En una de sus manos sostenía un platillo de uralita donde la gente arrojaba calderilla. Entonces él abría la boca y decía con una mueca:

—Gracias.

De vez en cuando, sin perder por ello su rigidez, con la vista siempre perdida en la distancia, hacía una breve explicación de sus viajes y proyectos:

—Mi venir de Santiago a pie... Mi católico... Mi ir a Roma... Mi besar los pies du Padre Santo...

Roma. Padre Santo. Pira se abrió paso a codazos. Cuando llegó, el hombre guardaba de nuevo silencio. Un grupo bastante numeroso de espectadores echó algunas monedas en el platillo y se alejó, mientras él decía "gracias", haciendo comentarios por lo bajo.

En el lugar había sólo media docena de curiosos. Era la hora aproximada de comer y nadie tenía deseos de demorarse. El hombre conservaba aún su inhumana rigidez. En un momento dado, se llevó la mano al bolsillo y sacó un pañuelo de cuadros, con el que se enjugó el sudor que le chorreaba por la cara.

Entonces pareció ver por vez primera a Pira y, como si hubiese comprendido de repente sus enormes deseos de acompañarle y besar los pies del Papa, posó en ella sus ojos duros, cuya córnea se le veía inyectada en sangre.

Pira sintió deseos de bajar los suyos, pero no pudo. Aquella mirada fija la hipnotizaba. El unijambista la observaba con una expresión especial, como si fuera a proponerle algo imprevisto y, aunque ignoraba por completo sus intenciones, sintió que el corazón le daba un vuelco.

El hombre seguía contemplándola, fija, dolorosamente y, en un momento dado, forzó una sonrisa. Era una proposición en regla y ella dijo que sí con la cabeza mientras, alrededor, cansados del prolongado silencio, los últimos curiosos se alejaban.

* * *

Desde que doña Cecilia guardaba cama, Arturo enchufaba el aparato de radio a la hora de la siesta y escuchaba, adormilado, toda clase de programas, ya fuesen infantiles, musicales o hablados. De la abundante cháchara que fluía del receptor, Arturo no retenía absolutamente nada. Le daba igual oír el último capítulo del serial radiofónico "Pilar, la princesa desventurada", que la emisión deportiva patrocinada por los Almacenes Modernos.

La voz de los locutores constituía, como la de doña Cecilia antes, el telón de fondo de su vida cotidiana, con la diferencia, preciso era reconocerlo, de que si bien podía desconectar el aparato cuando quería, no era posible emplear con los locutores los métodos de tortura que, de cuando en cuando, se complacía en aplicar a su madre.

Al principio de su enfermedad, doña Cecilia le llamaba continuamente (los abnegados cuidados de María le repugnaban). Pero, poco a poco, Arturo había apren-

dido a escabullirse. Sentado en el balcón, con la manta
entre las piernas, espiaba, aburrido, la vida monótona
del barrio.

Sus miradas se dirigían con preferencia a la llanura
donde los murcianos construían sus barracas. El mes anterior, si no fallaban sus cálculos, había sesenta y cinco.
Ahora sumaban ya setenta y tres. A ese ritmo, al cabo
de un año, duplicarían su actual número, con lo que, no
pudiendo hallar ya espacio habitable en los solares, em-
pezarían a introducirse en las viviendas.

Su método, explicaba a menudo Arturo, era siempre
el mismo. Empezaba uno por alquilar una habitación,
diciendo que era soltero. En seguida, llamaba a su mujer. Luego, paulatinamente, traía a sus hermanos, padres e hijos. Justamente asustados, los vecinos mudaban
de casa e, inmediatamente, la plaga se apropiaba de los
pisos vacíos.

Aunque las autoridades municipales hablaban cada
año de la necesidad de resolver el problema, hasta entonces se habían contentado con palabras. Arturo se enteró un día de que existía en las estaciones un servicio de
vigilancia para arrestar a vagabundos, pero éstos, pre-
venidos, se apeaban en las paradas anteriores y llegaban
caminando a la ciudad, con lo que el servicio policíaco
resultaba tan inútil como costoso.

Parecía que la guerra no hubiera servido para nada.
Los zarrapastrosos continuaban metiendo las narices en
todos lados, sin hacer ningún caso de la lección recibida.
Como una carcoma, se colaban en el interior de los edificios, roe que te roe, hasta pulverizarlos.

En su propia casa, por ejemplo, don Paco no sólo
se contentaba con vivir él a costa de doña Cecilia, sino
que se había traído a los tres hijos de su primera mujer y, desde hacía un par de meses, a una sobrina im-
bécil. Tal vez, dentro de poco, proyectaba llamar a una

pandilla de tíos y de primos, hasta que su madre, María
y él se aburriesen y tuvieran que irse con la música a
otra parte.

—No sería la primera vez que ha ocurrido — añadía malévolamente, con el propósito de hacer llorar a su
madre.

Ésta era la triste realidad. Pese a las promesas de
los periódicos de acabar con las chabolas y devolver a los
sin trabajo a sus covachas de Murcia y Andalucía, aquéllas continuaban proliferando, lo mismo que hongos, en
terrenos del municipio, lo cual constituía, a todas luces,
el colmo de la ironía.

Por ello, cuando Arturo vio piquetes de guardias
en la colina, no concedió al hecho ningún significado
especial. Los agentes caminaban pausadamente, llamando con cortesía a la puerta de las barracas, a
cuyos ocupantes leían una especie de edicto. Los murcianos, mujeres en su mayoría — los hombres trabajaban aún — acogían la lectura en silencio. Sólo cuando
una vieja manifestó su desacuerdo a gritos rompieron
a chillar también y Arturo hubo de reconocer, sin dar
crédito aún a sus maravillados ojos, que había llegado
su día.

Excitadísimo, apuntó con los gemelos a la primera
fila de chabolas: con sus tejados de ladrillo, sus paredes enjalbegadas, sus tiestos con geranios y dondiegos,
reunían las pretensiones de una vivienda modesta.
Pues bien: también recibían la visita de los guardias.
"Sin excepción — pensó, gozoso, Arturo —. Todas al
saco."

Los agentes indicaban a los murcianos una docena de gigantescos camiones. "Para cargar sus trastos,
señora", debía decir el guardia que apuntaba con sus
prismáticos; pero la torpe mujer gesticulaba, abría la
boca, le mostraba al niño. Inútil, amiga mía, inútil; a

subir al camión, como las bestias. Había llegado el momento de irse y se irían a las buenas o a las malas. En realidad, todavía les trataban con demasiados miramientos. Si de él dependiese, habría hecho una hoguera con todos sus enseres. A buen seguro debían estar cargados de miseria y envenenarían el aire de los pueblos durante el traslado.

Arturo cerró, deslumbrado, los ojos, como ante una luz demasiado viva. En el interior de la habitación, la radio transmitía el discurso de un hombre de voz suave, dulcísima, "... *con lo que, hijos míos, al acercarse a este gran acontecimiento, resuenen en la ciudad los himnos de amor y de ternura, flameen los gallardetes y las banderas, luzcan su indescriptible belleza las luminarias, como símbolo de la alegría que debe anidar en vuestros corazones por estos maravillosos días de paz, días de unión, días de...*"

Afuera, la policía seguía dando buena cuenta de los murcianos. Los agentes ayudaban a las familias al transporte de los muebles, anotando en un registro todo lo que cargaban. Se veía a la legua que llevaban bastante prisa y querían acabar su trabajo lo antes posible.

Arturo contemplaba el espectáculo con ojos atónitos. Apoyado en la herrumbrosa baranda de hierro, observaba las barracas, la caravana de gente con muebles y los camiones de los guardias, sin dar plenamente crédito a lo que veía.

—Pues sí señor, es verdad — murmuró —. ¡Y tan verdad!

Al cabo, no pudo mantener más la tensión y acudió con la nueva al dormitorio de su madre. Doña Cecilia estaba tendida en la cama con un pañuelo sobre la frente y, olvidando sus anteriores rencillas, Arturo irrumpió dando voces.

—¡Los sacan! — dijo —. ¡La policía ha venido con grandes camiones y se los lleva!

De no haber sido por su dolencia, su respuesta habría sido un: "Gracias a Dios. Voy a rezar un Avemaría". Aquella tarde, aunque doña Cecilia hizo esfuerzos visibles no logró articular una sílaba y profirió un largo "¡Huu!", en tanto que Arturo, dejando caer sus muletas, agitaba frenéticamente los brazos.

* * *

Antonia tuvo un ataque mientras iba a la lechería. Los vecinos que la conocían desde hacía muchos años se quedaron asombrados al ver que buscaba apoyo en un farol y echaba espumarajos por la boca. Su rostro había emblanquecido de modo brusco y su mirada era vidriosa y fija. La mujer cayó al fin, lastimándose con la acera. Aprovechando los primeros momentos de confusión, un desaprensivo se apoderó del bolso y se eclipsó con su dinero.

Antonia se recuperó al cabo de unos minutos y pudo llegar al piso por su propio pie. Al verla, la abuela empezó a dar gritos. Pipo seguía la escena desde el umbral de su cuarto, sin decidirse a intervenir. En la casa había un sinfín de gente desconocida que mezclaba el relato de lo ocurrido con lúgubres comentarios acerca de la incursión de la policía en las barracas. El niño fue a buscar al médico y, al verle, los lloros de la abuela se calmaron. El doctor era un hombre bajo, con gafas montadas en el aire, que la había visitado meses antes, cuando tuvo que guardar cama unos días. Después de saludarla cortésmente se encerró en el cuarto de Antonia, en tanto que Ortega intentaba convencer a los curiosos de que no había ya ningún peligro.

La abuela permaneció en el pasillo, más aturdida que nunca, intercalando preces extrañas en el rezo normal del rosario.

—¿Qué será de nosotros? — decía —. Dios mío, Dios mío, ayúdanos.

Ortega procuró tranquilizarla. Dijo que no era la primera vez que Antonia estaba enferma y añadió que su preocupación era, cuando menos, prematura, dado que el doctor no se había pronunciado aún.

La abuela no le hacía ningún caso y continuaba rezando en voz alta.

—Santo Dios, Santo Fuerte, Santo Inmortal: líbranos, Señor, de todo mal.

Al fin, el médico salió de la habitación de Antonia y dijo que debía echar un párrafo con Ortega. Como una persona mayor, Pipo fue admitido a la consulta. La abuela sollozaba en el pasillo.

—Déjenme entrar... Déjenme entrar... Tengo derecho a ser informada.

El doctor ponía una cara muy seria y Pipo comprendió que se trataba de algo grave. Antes de hablar, con ademán cuidadoso, se quitó las gafas sin montura y las limpió con un pañuelo.

—Son ustedes los únicos varones de la casa, según creo...

—Sí — dijo Ortega.

—Realmente, lo que voy a decirles no es muy alentador y será preferible que la buena señora no se entere...

Pipo le oía sin dar crédito a lo que pasaba. Todo le parecía absurdo: el ataque de Antonia, la irrupción de la gente, la consulta. Bruscamente arrancado de sus sueños, se resistía a aceptar las nuevas responsabilidades.

—Lo que tiene la mujer — continuó el doctor —

nos lo dirá la radiografía que le haremos. Me temo mucho que se trate de algo canceroso.

—¿La había visitado usted antes alguna vez? — dijo el profesor.

—Sí; pero por motivos que nada tenían que ver con el que actualmente nos enfrentamos. Ahora todo consiste en saber si lo que originó el ataque se debe, como sospecho, a un tumor. Si así fuese, las posibilidades de salvarla serían muy escasas.

Cuando salieron de la habitación, la abuela estaba en el dormitorio de Antonia, esforzándose en levantar sus ánimos decaídos:

—Que no es nada, mujer, que no es nada. El doctor dice que sólo ha sido un susto.

Pipo entró dispuesto a mentir, a recitar como un autómata el papel enseñado: "No es nada, absolutamente nada; de aquí a unas horas estará usted como nueva". Al ver el rostro de Antonia se detuvo. La mujer tenía la frente llena de cruces de esparadrapo y una venda manchada en la mano izquierda. Sus bondadosos ojos presentaban un ligero estrabismo, sus labios colgaban como exangües. Estaba derrumbada en un sillón con la cabeza gacha y los brazos apoyados en las rodillas.

—Son ustedes demasiado buenos conmigo — decía —. Siempre me han tenido demasiado consentida.

El niño se acordó de las palabras del doctor y sintió un ramalazo de pánico. Le parecía horrible la idea de que Antonia, la bondadosa y gruñona Antonia, pudiese morir así, sin más, como un objeto viejo consumido por el uso. Muchas veces, al hablar con los pescadores amigos del Gorila, le había llamado la atención el efecto embrutecedor del trabajo sobre la gente humilde: cojos, tuertos, mancos, sus manos eran horrendos instrumentos en los que, como una acusación, se advertía un pulgar sin falange, un meñique sin uña, un anular rígido. Como ellos, Antonia vivía de su trabajo y aquel era el principio del fin.

Sabía la historia y trató de representarse el cuadro. Estaba seguro de que nadie se atrevería a confesarle la verdad y el espectáculo de su miedo al conocerla sería insoportable. Habría que combatir su terror, acostumbrarla a la idea de morir. Decirle, como a la perra de los vecinos cuando comió un pedazo de carne envenenada: "Calma, calma, quieta, aguarda, aguarda".

Pipo no pudo resistir y salió del cuarto. Una vez fuera le pareció que su tensión disminuía. Todo había sido un espejismo, un momentáneo engaño. El doctor no había dado la cosa por segura y cabía siempre la posibilidad de un error de diagnóstico. Estaba dando vueltas en torno a la mesa y se detuvo. En realidad, no había que ser pesimista. La ciencia obraba milagros y Antonia podría curar. La atmósfera del piso le asfixiaba y decidió ir a la cita sin demorarse.

Cuando llegó, el Gorila le esperaba.

—Juanita no está en casa — dijo.

—¿Has probado en el mercado?

—Sí; pero hoy tenía día libre.

—Entonces, iremos a la carretera. Con lo sucedido a Antonia no me he enterado de nada.

En pocas palabras le puso al corriente del ataque y, bajo el influjo poderoso de su presencia, sus temores se disiparon. El mundo, en donde todas las cosas tenían un tinte feroz y sombrío y el cerebro de las gentes se detenía como el mecanismo descompuesto de un reloj, cedió paso al universo mágico en donde el Gorila y él eran cómplices de un terrible crimen y no debían compartir sus secretos con nadie.

Era la primera vez que el Gorila paseaba por las

calles de su barrio, y sintió un enorme orgullo. Era su confidente, su hermano, su cómplice. La Vía Meridiana estaba de bote en bote y continuamente tropezaba con sus amigos.

—Adiós, José.

—Adiós, Luis.

—Adiós, González.

—¿Quién es ese González? — le susurró el Gorila, cuando se alejaron unos pasos.

—Un policía... — iba a decir "muy amigo mío", pero, acordándose del secreto que a toda costa debía guardar, añadió —: que conozco de vista.

—¡Hum! — hizo el Gorila, frunciendo el ceño —. Estos tipos son todos de la misma ralea. Si hablas con él, recuerda lo que me prometiste.

—Pierde cuidado — dijo Pipo —. González es amigo de un conocido mío. En realidad — mintió —, nunca hemos hablado.

—Mejor que mejor — dijo el Gorila.

El incidente le había puesto de mal humor y Pipo se esforzó en levantarle el ánimo. Guardaba en el bolsillo media docena de puros y se los regaló, diciéndole que eran habanos. El Gorila pareció creerlo así y le palmeó la espalda.

Al llegar al cruce de la calle Mediodía con la carretera adoquinada, el gitanillo les señaló con grandes aspavientos lo que ocurría en la colina. Hora y media después de la llegada de los guardias, el zafarrancho era completo: una larga columna de hombres y mujeres se dirigía, con sus trastos, al camión de la mudanza. Los policías habían acordonado el barrio, apartando a los curiosos que querían acercarse.

—Quédense ahí, por favor. Tenemos orden de no dejar pasar a nadie.

Recién concluida la evacuación de las barracas, se

procedía a destruirlas. Un piquete de obreros demolía ya las de la primera fila.

—El profesor que vive en casa dice que es una gran injusticia — dijo el niño.

—Si los sacan de ahí será por alguna razón.

—Él cree que no — continuó el niño —. Como es republicano...

—¿Republicano? — exclamó el Gorila —. Ya te diré la clase de tipo que debe ser...

A media docena de metros había un banco de piedra y se acomodaron en él.

—Si te digo la clase de tipo que debe ser es porque, antes de la guerra, había en mi pueblo un buen puñado. Yo conocía al jefe: Eduardo Robles. Vivía en la calle Guimerá, justo al lado de la plaza. Yo, aunque no había cumplido los dieciocho años, era tan grande como ahora y tenía el doble de fuerza, que desde entonces he bregado mucho.

"Pues bien, a Robles se le metió en la cabeza la idea de que yo fuese republicano y socialista. Como era muy popular entre los pescadores, debía buscarme como cebo, me figuro. Lo cierto es que, siempre que llegaba a casa, me lo encontraba allí, esperando: «Hola, Gorila». «Hola, Eduardo.» «¿Qué haces después de cenar?» «Voy a dormir, que mañana madrugo.» «¿Por qué no vas a casa de Domingo?» (Domingo era también del grupo: un peninsular que al estallar la guerra se pudo escapar en barca.) «Ya te he dicho que quiero acostarme.» Así, hasta que se iba.

"Yo creo que estaba medio chiflado de tanta lectura. Figúrate que quería hacerme firmar manifiestos. Yo le decía: «Las firmas no sirven para nada». Y no había semana que no me buscase por algo: que si esto, que si aquello, que si los ricos, que si la reforma agraria...

"Hasta que un día no pude más y le solté lo que tenía que soltarle: «En vez de cuidarte tanto de los otros — le dije — deberías vigilar que tu mujer no se entendiese conmigo». (Pues Paloma, una madrileña muy guapaza, venía a buscarme lío y todo el mundo, menos él, sabía lo que pasaba.)

"Yo pensaba que Robles no iba a contenerse y, la verdad, se puso blanco como el mármol; pero no tuvo más remedio que envainarla y me dijo: «Nadie te ha pedido cuentas. El Partido está por encima de esto».

"¡Por encima! — rió el Gorila, sarcásticamente —. Cuando llegó la hora de la verdad, Robles y los otros huyeron como una manada de liebres. Y la guardia civil les siguió la pista y los pescó a uno tras otro, en menos de lo que canta un gallo.

Pipo había escuchado con asombro el relato de su amigo y al concluir volvió de nuevo la vista a las chabolas. El sol acababa de quitarse. Los murcianos eran como una larga fila de hormigas transportando fardos bajo la celosa vigilancia de la policía. Cerca de ellos, la gente formaba corros y emitía comentarios en voz baja.

El niño se puso de pie. El cuadro le entristecía y sintió, de pronto, deseos de marcharse. En el suelo, junto al banco, había unos papeles amarillos manchados por el polvo y la lluvia: "Gran rifa de *Chocolates El Gato*". "*Ustedes recibirán algo inesperado el mes de junio.*" Casi a pesar de él levantó la cabeza y observó la comitiva de murcianos. Verdaderamente la casa anunciadora había cumplido su promesa: nadie en el barrio había previsto aquella expulsión.

Se encaminaron hacia la parada del tranvía. También el Gorila parecía pensativo y ninguno de los dos dijo palabra. En la esquina se detuvieron, sorprendidos por un nuevo espectáculo.

Un grupo de señoras bien vestidas corría al encuentro de un obispo severo y suntuoso. Atropellándose unas a otras, curvando sus cuellos, se esforzaban en depositar un beso en la sortija que el prelado, amablemente, les tendía.

Detrás, media docena de rapaces forcejeaban con los rostros iluminados por una expresión ansiosa. Las señoras no abandonaban su presa y no conseguían acercarse.

Al fin, el obispo pareció darse cuenta de sus esfuerzos y, antes de entrar en la parroquia, les otorgó la bendición.

Pipo observaba la escena boquiabierto y el Gorila tuvo que tirarle de la manga.

—Eh, tú — dijo —. Ya ha llegado el tranvía.

* * *

Media docena de gallinas blanquinegras corrieron al encuentro de don Paco. Atropellándose unas a otras, curvando sus cuellos multicolores, se esforzaban en alcanzar la comida. Al fin, don Paco se cansó de tan incómoda postura y arrojó el maíz al suelo. Las gallinas, entonces, se dispersaron por las zonas más favorecidas procurando alejar a las otras a picotazos.

Don Paco ajustó la puerta del gallinero y regresó a su sillón. La sirvienta de los vecinos de abajo había sufrido un ataque. De pie, con la mano apoyada en el respaldo, examinó la conveniencia de una visita. Cuando doña Cecilia empezó a guardar cama, la señora había subido a verla. Ahora, aunque se tratase de la chica de servicio, estaba obligado a corresponder.

Una vez en su habitación, se puso el traje nuevo. Al otro lado del piso, Arturo daba voces, excitado por la destrucción de las chabolas. Piluca, con los tres niños, estaba en el festival del Instituto. En cuanto a Pira, no había dado señales de vida desde última hora de la mañana.

Don Paco se limpió los zapatos en la estera antes de llamar al timbre. Ordinariamente abrían la chica o la señora. Aquella vez lo recibió el realquilado. Al saber el motivo de su visita, el profesor le hizo pasar al cuarto de la criada. Antonia yacía amodorrada a causa de la inyección y no parecía oír siquiera las oraciones de la abuela. Rompiendo el embarazoso silencio, Ortega le invitó a beber una copa.

—Usted me perdonará — dijo, mostrándole él loro —, Antonia le tiene mucho cariño y no quiere que me separe de él.

—Oh, no se preocupe usted — respondió don Paco al sentarse —. En realidad me gustan mucho los animales. Lorito — añadió, cambiando la voz —. Lorito, guapo.

Ortega cogió una botella de jerez de la repisa y puso dos copas encima de la mesa.

—Lamento no tener coñac — dijo.

—Me da lo mismo, gracias.

También él tomó asiento después de descorrer la cortina. Desde allí, la perspectiva era idéntica a la del piso alto, aunque limitada por la baranda de cemento de la calle. El profesor le llenó la copa hasta los bordes y se incorporó para dársela. Luego medió la otra y lanzó un profundo suspiro.

—¡Qué jornada! — dijo —. ¡Qué jornada!

Sin saber bien aún si se refería al ataque de la criada, a los preparativos de la fiesta en el Instituto o al prematuro bochorno del clima, don Paco esbozó una sonrisa vagamente comprensiva.

—¿No ha ido usted a la fiesta escolar? — murmuró al fin.

Ortega no le prestó atención. Bruscamente, apuntó con un ademán hacia la ladera del monte.

—¿Qué piensa usted de este espectáculo?

Don Paco conocía de oídas el extremismo de Ortega e intentó escabullirse de manera diplomática.

—Creo que el municipio ha procedido con excesiva prisa — dijo —. A mi entender, debería haber ampliado el plazo de expulsión.

—Esa gente se había instalado aquí porque no podía hacerlo en otro sitio — repuso inmediatamente Ortega —. Trasladarlos a su país es condenarlos a morir de hambre.

—Según decía el periódico, el Ayuntamiento construye para ellos un bloque de viviendas modernas y cómodas.

—Los periódicos no dicen más que mentiras — le interrumpió el profesor.

—La prensa está dirigida, desde luego — repuso, algo molesto, don Paco —, pero tal vez sea preferible esta limitación a los excesos de hace unos años. Porque usted mismo tendrá que reconocer que aquel desorden...

—Desorden — repitió Ortega con amargura —. Era el de un niño que tiene necesidad de correr, de desahogarse...

—Reconozca usted al menos que sus desahogos eran bastante brutales — dijo don Paco.

—Brutales o no, no podían durar mucho. Con el tiempo habrían desaparecido. — Por primera vez desde que había tomado asiento levantó los ojos —. Créame. Yo soy educador. Durante treinta años he estudiado millares de chiquillos. Nunca se llega a la madurez sin sobresaltos. Sobre todo si la infancia ha sido triste.

—Cuando menos tenemos paz, orden público — repuso don Paco decidido a plantarle cara —. Al menos dormimos tranquilos, sin temor de que alguien pretenda asesinarnos.

—¿Para qué sirve la paz, me digo yo, para qué sirve el orden público si...? — Un breve temblor que dificultaba la comprensión de su voz le impidió dar remate a la frase —. Sí — continuó como para sí —: ¿para qué, para qué?

El loro, que hasta entonces se había mantenido muy tranquilo en lo alto de la percha, batió alegremente las alas.

—¿Qué? — articuló —. ¿Qué?

—Tal vez yo me esté volviendo viejo — prosiguió Ortega — y las cosas se vean ahora de modo distinto pero, en mi tiempo, un espectáculo como éste era totalmente inconcebible.

—Desde luego, yo creo que el Municipio no ha estado a la altura de las circunstancias — reconoció de buena gana don Paco —, pero, durante la República, si usted lo recuerda, el problema existía ya.

—No, no me entiende usted. Lo que pretendía hacerle comprender era que ni usted ni yo, ni nadie, reaccionamos. Hemos perdido la capacidad de rebelión. Estamos embrutecidos, como animales.

—No sé lo que quiere usted decir — dijo don Paco, apoyándose en el respaldo de la butaca.

—Intentaré explicárselo — carraspeó el profesor —. Antes, ninguno de nosotros habría soportado lo que hoy ha ocurrido, y usted menos que ninguno.

—Sigo sin entenderle.

—Dado el parentesco geográfico que le liga a la mayoría de los expulsados, habría protestado usted, habría salido a la calle.

—En realidad — rectificó don Paco, enrojeciendo —, no soy murciano como usted cree. Mi pueblo está en las cercanías de Murcia, muy cerca, pero pertenece a Alicante.

—De una provincia a otra, qué más da, habría salido a defender a sus hermanos, no se habría cruzado de brazos. Ahora, en cambio, calla. ¿Por qué?, me pregunto, ¿por qué?

—¿Qué? — volvió a chillar el loro, moviendo las alas.

—Porque ahora hay orden — repuso don Paco — y la autoridad sabe lo que se hace, mientras que entonces todo era anarquía y la gente se tomaba la justicia por su mano.

—Usted habla igual que los periódicos — dijo, exasperado, Ortega —. Como hombre de buena fe que es usted, cree todo lo que le cuentan y se niega a ver lo que tiene delante; mientras que...

—¿Qué?

—... en mi época, no renunciábamos a nuestro criterio, si algo nos parecía mal, lo decíamos; si se cometía un error, lo denunciábamos.

—¿Qué? ¿QUÉ? ¿Qué?

—Usted exagera — replicó don Paco —. La inquina le tiene ofuscado.

—No, no exagero.

—Yo creo que la mejor solución es que cada uno tire por su lado, sin preocuparse de lo que ocurre a su vecino.

—Desunidos — afirmó sentenciosamente Ortega — seremos siempre un rebaño de esclavos.

—Que cada uno se ocupe sólo en sus asuntos: éste es para mí el ideal. Encerrado en su casita, aparte de todo...

—No hay encierro que valga — arguyó el profesor —. Usted que lee los periódicos debió enterarse anteayer de lo ocurrido en América: un pobre negro, que pensaba como usted, se encerró a vivir en una cueva. Pues bien...

—¿Qué? — volvió a gritar el loro.

—... un avión a reacción se estrelló justamente allí e hizo pedazos al negro. — Se quitó las gafas de carey y las dejó sobre la mesa —. No hay salida para la gente aislada — dijo —. Si nosotros no acudimos al encuentro de la injusticia, la injusticia acude a nosotros.

—Si toda la gente pensara como usted — repuso irónicamente don Paco — deberíamos salir con pistola a la calle.

—Como de costumbre, no hace más que repetir lo que le enseñan los periódicos.

—Aun en el supuesto de que así fuese — replicó don Paco, herido por la grosería del maestro —, lo prefiero mil veces a recitar lo que le enseñan esos librotes.

Él mismo fue el primer sorprendido del giro de sus palabras y volvió la vista a un lado, procurando no mirarlo. El loro continuaba sobre la percha y, divertido con la conversación de los dos hombres, agitaba las alas rítmicamente.

—Lorito— modulaba —, lorito guapo.

—En cualquier caso — dijo don Paco con voz más sosegada —, espero que no expondrá usted sus teorías a las criaturas que le hemos confiado...

—Oh — exclamó el profesor con amargura —, esté usted tranquilo. Ayer por la mañana les di mi última clase. — Luego, adivinando sin duda su sorpresa, añadió —: El director me ha puesto de patitas en la calle.

—¿De patitas en la calle? — repitió don Paco sin comprender.

—Sí, me ha echado; es un pobre cretino con las ideas de usted y se empeñaba en llevarme en procesión por el barrio...

—Caballero... — dijo don Paco, levantándose.

—Sí, váyase usted — exclamó Ortega —. En mi casa no quiero gente de su calaña.

Le señalaba la puerta, como una viviente encarnación del ángel, y don Paco salió del cuarto, muy digno. Conocía el camino por haberlo recorrido otras veces y, por respeto a la señora y a su sirvienta, se abstuvo de dar un portazo.

Desde la escalera, mientras intentaba descifrar el porqué de lo ocurrido, escuchó aún los susurros de la señora abuela, interrumpidos por los gritos extasiados del loro.

* * *

Cuando Piluca regresó de la fiesta del Instituto y no vio a Pira experimentó gran sobresalto. Su prima le había dicho que pasaría la tarde en el sobrado y, cuando trepó por las ramas de Parsifal, el corazón le dio un vuelco. Los objetos que le pertenecían, incluyendo el aleluya, habían desaparecido y las paredes estaban como antes de su venida, desnudas y llenas de telarañas.

Sumamente inquieta, volvió a la casa en busca de informes. Sin embargo, nadie supo darle cuenta de su paradero. Como otras veces, Pira se había esfumado a la hora de comer y, desde entonces, no daba señales de vida. María le reservaba una costilla de cordero, aunque, dado su carácter estrambótico, no creía que se presentase hasta la noche.

—Debe de estar por el barrio, paseando — dijo.

Desalentada, Piluca interrogó a su padre y sus hermanos. Ninguno parecía más informado que María. Sin saber qué hacer, se sentó en el rellano de la escalera. Su padre vino a preguntarle por la fiesta del Instituto e, inesperadamente, rompió a decir pestes del profesor.

—Un chiflado sin cerebro y sin entrañas — definió —. Por fortuna, el director, consciente del peligro, lo ha echado a la calle.

Incapaz de soportar su cháchara, Piluca se refugió en la cocina. María mondaba patatas para la cena y la ayudó, sin decir palabra. Desde el otro lado del tabique llegaban las excitadas risas de Arturo.

—Y esto es sólo el comienzo, el primer paso. Ahora las autoridades deben proseguir su tarea de limpieza y descubrir a los emboscados en las casas. Zas, zas, zas, al saco, como cucarachas...

La cena transcurrió en completo silencio. Se oía tan sólo el ruido de los cubiertos al chocar sobre los platos. Su padre leía el periódico de la noche y afirmaba que Ortega era un pobre farsante.

—Ya tienen viviendas — repetía —. Todo lo que decía eran embustes.

Pero la sombra proyectada por la inexplicable ausencia de Pira empezaba a contagiar los ánimos. El reloj marcaba ya las diez y diez. Nunca había llegado tan tarde.

Sacando fuerzas de su miedo, Piluca fue al cuarto de doña Cecilia, por si Arturo sabía algo.

—¿Pira? — exclamó su hermanastro —. ¿La niña charnega?

Cuando Piluca se disponía a retirarse, vivamente ofendida, Arturo hizo un ademán con la mano.

—Se ha ido — dijo —. La he visto con una maleta, por la calle.

—¿A qué hora?

—No lo sé... Debía de ser hacia las cinco.

Piluca regresó temblando al comedor. Pira no se había llevado los adornos como otras veces para enseñarlos a sus amigos. Esta vez se había ido de verdad.

—Arturo dice que la ha visto salir con una maleta a las cinco — anunció a sus familiares.

—¿A las cinco?

—¿Con una maleta?

—¿Adónde habrá ido?

Hubo un largo silencio, después del cual María observó:

—Yo creo que sería prudente avisar a la policía. Tal vez se ha extraviado y...

—Yo opino — cortó el padre, con gran alivio de Piluca — que sería dar al asunto demasiada importancia. A buen seguro ha encontrado alguna amiga y se le ha pasado la hora.

—Podemos dejar abierto el portal — sugirió María —. Quizás haya ido al cine, y como las sesiones acaban tan tarde...

Los niños daban vueltas a la mesa. El padre, en un arranque de autoridad, los mandó a la cama.

—Anda, idos — aprobó Piluca, señalándoles la puerta.

—Y tú vete con ellos — ordenó él —. Es tarde y mañana tienes que madrugar.

—Pero, papá...

Piluca no tuvo más remedio que obedecer, acompañada por la irónica risa de sus hermanos. Su habitación tenía la luz encendida, pero no pudo resolverse a entrar. La nevada estepa de las sábanas, con su blancura virginal, le deprimía. Pira no estaba allí para vivificarla con su presencia, destruyendo, de golpe, la angustiosa sensación de sentirse, a la vez, niña y aislada.

Durante la noche era dulce tenerla apretada contra sí, sentir su respiración, tranquilizarla cuando se asustaba. Ahora el lecho estaba vacío, como un erial helado. Intentó quitarse la ropa y no pudo. Sus movimientos, reflejados en el espejo del armario, le daban miedo. No, no quería dormir como María, siempre sola, indiferente al paso de las estaciones, a las fugitivas hojas del calendario. Ella se sentía llena de vida, quería seguir a Pira, ir a Italia.

En el dormitorio vecino sus hermanos empezaban a acostarse. Oía el crujido de los muelles del sommier, la caída familiar de los zapatos. Algo se tramaba entre ellos, pues percibía susurros, voces, risas. Silenciosamente, Piluca se inclinó para escuchar. Lo que ocurría en aquel cuarto siempre la había fascinado. En vez de desnudarse, apagó la luz y se tendió, vestida, en la cama.

—Yo sé algo, pero no lo diré— decía, desde su rincón, Ricardo.

—Cuando lo anuncias así, acabarás por decirlo — profetizó Rosita.

—Sí. Mírale a la cara: se muere de ganas.

—¡Ja, ja! Lo hago para excitaros. Para que veáis que yo también tengo secretos.

—Ya que has empezado a hablar, al menos danos una idea...

—Sí, danos una idea. Nosotros intentaremos adivinar.

—Os lo diré si me dais la firma del croata.

—Te la daré si me la cambias por la del obispo de Esmirna.

—No, sin cambios.

—Entonces, nada.

Hubo un breve silencio durante el que no se oyó el más leve ruido, y Ricardo continuó:

—Es algo acerca de Pira.

—¿De Pira? — exclamaron a la vez Tonio y Rosario.

—De ella en persona.

—¿Sabes dónde está?

—¡Quién sabe! — dijo misteriosamente el niño.

El corazón de Piluca latía tan fuerte que, por un momento, creyó que iba a parársele. Al fin, haciendo un esfuerzo, se incorporó, abrió la puerta de comunicación de los dos cuartos y saltó sobre el lecho de Ricardo, como un tigre.

—Dilo — ordenó, aferrándole por el cuello —. Dilo o te mato.

Advertidos por los gritos de los niños, acudieron María y el padre. Piluca sintió que alguien la sujetaba por los hombros obligándola, a pesar de sus esfuerzos, a soltar su presa.

—¿Qué ocurre? ¿Qué ocurre? — decía el padre.

—Ha sido ella — gimió el niño —. Ha entrado en el cuarto de repente y me ha atacado.

—Él sabe dónde está Pira y no quiere decirlo — dijo Piluca.

María dejó que Ricardo se enjugase las lágrimas y se arrodilló enfrente de él.

—¿Es cierto?

El niño inclinó la cabeza sin decir nada.

—Vamos, responde en seguida — ordenó María, con sequedad.

—Lo diré si Tonio me da la firma del obispo croata.

—Tonio te dará la firma del obispo croata.

—No me la dará... Se la he pedido antes y no ha querido dármela.

María se volvió hacia el niño con gesto severo:

—Vamos, Tonio, haz lo que te dice.

—Es mía...

—Obedece a tu hermana — tronó el padre.

Mientras el niño revolvía debajo de la almohada, María se enfrentó con Ricardo.

—¿Y Pira? — dijo.

Ricardo inclinó la cabeza, confuso.

—Se ha ido.

—¿Ido? — preguntó María —. ¿Adónde?

—No lo sé — sollozó —. Me ha dado una carta.

En el bolsillo del pijama guardaba un papelito y Piluca se inclinó para leerlo con el corazón palpitante: *"Me voy a Italia a ver al Papa* — decía su letra inconfundible —. *No intentéis seguirme. Abrazos"*.

—¿Cuándo te lo ha dado? — preguntó María, obligándole a levantar la barbilla.

—No lo sé — gimió Ricardo —. Poco antes de merendar. Piluca, Rosario y Tonio no habían llegado.

—¿Qué más te ha dicho? — continuó su hermanastra con voz persuasiva.

—Casi no me habló. Subió con la maleta encima del gallinero y cargó con todas sus cosas.

—¿Y no se te ocurrió venir a avisarnos? — exclamó el padre.

—¿No te dijo nada más? — continuó María, sin hacer caso de la interrupción.

—Sí — murmuró el niño, bajando la mirada de nuevo —. Me contó que había encontrado a un hombre que la llevaba a Italia.

—¿Y no te explicó nada acerca de él? — La voz de María brotó tan alterada que Piluca sintió como un trallazo en el cuerpo.

—Sí — sollozó Ricardo —. Me contó que era un peregrino francés. También yo lo vi al mediodía. Era cojo y llevaba un cartel detrás.

—¡Dios mío, Dios mío! — exclamó María, buscando apoyo en la pared, como si fuera a desmayarse —. La radio acaba de decir hace unos minutos que buscan a un individuo con estas señas. Esta mañana, en la cuneta de una carretera, ha asesinado a una muchacha.

* * *

Al divulgarse la noticia por las casas vecinas la gente se ofreció espontáneamente a buscar a la niña raptada. Piluca vio al inquilino de arriba, al profesor, al matrimonio de verduleros, a los tres hermanos de la casa del lado. Formando un heterogéneo grupo bajaron por las terrazas escalonadas de la calle Mediodía hacia el lugar en donde, según Ricardo, el unijambista había pedido limosna.

Al ver la comitiva, los clientes de la taberna salieron a preguntar qué ocurría y el gitano cesó de remover el manubrio. Con veloces movimientos de las manos dio una explicación de lo sucedido. Entre cabriolas y saltos, el nieto señaló la ladera de la montaña.

—Dice que se han ido por ahí. — El niño agitaba las manos, sacaba la lengua, ponía los ojos en blanco —. Dice que fue hacia media tarde...

La policía, prevenida por María, se presentó poco después. Al verla, Piluca rompió a llorar y don Paco la mandó a dormir. La niña dio media docena de pasos, como para obedecerle, pero se quedó sollozando junto al sordomudo.

El barrio de las chabolas confinaba, por la parte alta, con el circuito automovilístico del parque y, hacia el noroeste, con la imprecisa extensión de tierras próxima al mar, donde quemaban las basuras. Dos jips de la policía tomaron la dirección de la carretera para detener al fugitivo en el caso de que hubiera seguido el camino alto, mientras otros agentes a pie, acompañados por la comitiva de vecinos y el personal de la taberna, se abrían paso, a través de las chozas destruidas, hacia el sendero que conducía a la playa.

La luna se había quitado hacía poco y resultaba difícil distinguir a unos metros. Los policías que iban delante llevaban potentes reflectores con los que barrían a brochazos el flanco de la montaña. La luz descubría a veces algún murciano oculto, revolviendo en las ruinas de su chabola. Al ser alcanzado por el cono de luz permanecía inmóvil, lo mismo que una liebre aturdida ante los faros de un automóvil. Un viejo guardaba en un saco las baldosas respetadas por el piquete destructivo y, al ver a los policías, soltó el botín, atemorizado.

—¿Ha visto usted a un hombre cojo con una niña? — preguntó el sargento.

El viejo le miraba como si no comprendiese lo que decía; haciendo un visible esfuerzo, balbuceó:

—Sí... un hombre con una mochila... Se fueron por allí... Hacia los albañales.

Obedeciendo una orden del cabo, el viejo los guió hasta el atajo.

Los adoquines, baldosas y ladrillos ocultaban el trazado de los caminos, por lo que, al bajar, no había otro remedio que saltar de piedra en piedra, sobre los cimientos desnudos de las casas.

Los haces de luz buscaban las huellas del sendero entre las chabolas. La comitiva de vecinos seguía detrás de los policías sin decir palabra. Todo era oscuridad en torno; oscuridad, desolación y silencio, interrumpido a veces, desde algún rincón de las ruinas, por lloros y por ayes.

A la antigua zona edificada de la ladera sucedían huertecillos, cercados por bardales, con su intrincado dédalo de trochas. Desde el lugar se abarcaba una zona muy extensa y los reflectores barrían los terraplenes sin descanso. De bancal en bancal, siempre por caminos estrechísimos, alcanzaron los terrenos bajos cercanos a la playa en donde, medio kilómetro después, desembocaba la gran cloaca.

Allí, la busca resultaba más difícil dada la ondulación del terreno, surcado de pequeñas dunas que, a la luz de los focos, se curvaban blanquísimas, como cráteres lunares. La proximidad del mar se hacía sensible por un rumor sordo, así como por la quebradiza silueta de algún pino inclinado hacia la montaña como víctima de un imaginario vendaval, aunque el aire estaba perfectamente inmóvil y no se movía una hoja de hierba.

El panorama era sombrío y desolador. El viento que, ordinariamente, soplaba del mar, había reducido la vegetación al mínimo y los arbustos emergían apenas sus escuálidos tallos, medio enterrados en la movediza arena. Los basureros descargaban allí, formando montículos de suciedad que, aun de noche, despedían un olor repulsivo. Los gatos hambrientos de la ciudad hurgaban infatigablemente entre las basuras y huían espeluznados ante las deslumbradoras linternas de los guardias.

De vez en vez se divisaba alguna choza construida con remiendos de hojalata, pero tenía las ventanas cerradas, como si sus ocupantes estuvieran dormidos. El sargento golpeó en la puerta de una y aguardó, charlando con sus hombres. Al poco, se asomó una mujer vestida con un saco hecho trizas y, al ver la comitiva, empezó a temblar, como azogada.

—Sí, sí, lo he visto — tartajeó —. Un hombre cojo con una mochila... Pasó por aquí después de anochecer... Iba hacia la cloaca, con una niña...

Precedido por los reflectores de la policía, el cortejo se puso de nuevo en marcha. Las indicaciones de la mujer parecían pesar en el ánimo de todos. Ni siquiera don Paco, que durante el camino no había cesado de repetir: "La encontrarán. Tienen que encontrarla", se atrevía a repetir su fórmula-talismán. Y, como respondiendo al fatalismo helado del grupo, la luna derramó su frío maleficio sobre las lomas sinuosas de la playa, volviéndolos, de golpe, visibles unos a otros, desnudos, inermes, desamparados.

Escalaron un montículo arenoso y se encontraron frente al mar. La arena arrastrada por el viento formaba una cresta que protegía la parte inferior de la playa, y pese al repugnante olor que llegaba hasta ellos permanecieron un rato inmóviles, hechizados por la mágica quietud del paisaje. Pero ya las linternas habían localizado un pequeño bulto lamido por las olas y, como impelidos por un resorte, corrieron atropelladamente hacia él.

Era Pira, tendida boca abajo, con su hermosa trenza deshecha y los brazos inmersos en el mar. El asesino había desgarrado su falda de volantes y la parte posterior de la blusa, dejando al descubierto su espalda, blanca y magra. Parecía una muñeca de celuloide, una muñeca vieja, arrastrada hasta allí por una corriente marina desde una playa lejana. A su alrededor no se advertía ninguna señal de lucha: tan sólo el maletín abierto y un cuchillo envuelto en un pañuelo de cuadros. Desde lejos, un jirón ensangrentado de su blusa parecía flotar entre sus dedos como un delicado ramillete: el delicado ramillete de flores que había soñado entregar al Papa.

CAPÍTULO SÉPTIMO

Pipo pensó siempre que un demonio cruel presidió sus actos aquella mañana. Empezando por su salida de casa, todo había sido ilógico y absurdo. El clima familiar que reinaba en el piso no era lo suficiente reposado para permitir paseos de tres horas. Pese a sus continuos esfuerzos, Antonia había perdido su antiguo optimismo y permanecía todo el día en el sillón de la cocina, silenciosa, abatida. Y las pocas horas libres de que disponía al volver de la escuela las empleaba en visitar a los vecinos de arriba, cuya sobrina había sido asesinada.

El periódico de la mañana refería en un breve recuadro la detención del criminal: "Las pesquisas realizadas por la Policía en relación al repugnante asesinato de dos niñas en los alrededores de nuestra ciudad han dado, como resultado, la detención del súbdito francés Marcel Aldebert en el momento en que intentaba conducir a la niña J. L., de doce años de edad, al barranco denominado el Hoyo del Ahorcado. La oportuna intervención del agente Jesús Horrazo, de la Brigada Social, evitó que la criatura corriese la misma suerte que las dos infortunadas. El asesino, al parecer un perturbado, fue sustraído, por los agentes de la Brigada, a las iras del público y conducido a los locales de Jefatura, a disposición del Juez de Guardia". Y Pipo lo había leído de un tirón, reteniendo el aliento, como durante una zambullida.

La muerte de Pira le había afectado en lo más vivo. La mañana del crimen la había visto correr por la calle, llena de vida. Cuando subió a dar el pésame a sus tíos era sólo una pobre cosa rígida, metida, como una muñeca vieja, en un pequeño ataúd.

En los ojos de Pipo se formaron gruesos lagrimones, brillantes como un par de perlas falsas. Luego, el dolor que experimentaba por la niña había cedido un poco ante la truculenta emoción del asesinato. Arrodillado ante el féretro, junto a la abuela, había contemplado el lugar del cuello por donde había penetrado el cuchillo.

"El asesino la atacó por la espalda — concluyó —. Exactamente de la misma manera en que el Gorila y yo *liquidamos* al guardia en Canarias."

Desde entonces, en compañía de la abuela, subía todas las tardes a visitar a don Paco. El señor los recibía en el jardín, a la sombra del árbol, rodeado de gentes desconocidas, muy tieso, consciente de su importancia. La curiosidad parecía ser patrimonio exclusivo de los niños que, de cuando en cuando, se aventuraban a preguntar: "¿Estará ya podrida Pira?" "¿Es cierto que vendrá a vernos su padre?"...

En el sobrado que le había servido de refugio, conjeturaban secretamente respecto al criminal y emitían hipótesis contradictorias. Ricardo afirmaba su convicción de que la policía no sabía nada. "El que han detenido — decía — es un doble y el verdadero anda libre, por la calle." Tonio, por su parte, pretendía haber visto a un individuo parecido, armado con una navaja, merodeando por el barrio. Al fin, alguno se deslizaba por las ramas del almendro y acusaba, muerto de miedo, a los demás.

—Papá. Cayo dice que a Pira la mató el hombre del saco.

—Oh, qué mentiroso — se defendía el otro —. Lo que he dicho...

—Quiere darnos miedo... Ayer, cuando nos acostábamos, dijo que hoy me cortaría la cabeza a mí.

—Callad, callad, no alborotéis — suplicaba lastimeramente su padre.

Pipo abandonaba el jardín vagamente intranquilo. La posibilidad de que el asesino anduviera libre le producía escalofríos y, al llegar a casa, se encerraba miedosamente en el cuarto. Sin embargo, la atmósfera misteriosa del sobrado le atraía y, el día siguiente, después de forcejear con la abuela, volvía de nuevo a la carga.

Aquella tarde, María le dijo que don Paco estaba fuera y el niño regresó al piso cabizbajo. En el vestíbulo tropezó con el profesor quien, al verle, abandonó la tarea de empacar libros y le invitó a compartir su merienda.

Aunque a disgusto, Pipo no tuvo más remedio que aceptar. Desde hacía una semana el profesor no iba a dar clases al Instituto. Según afirmaban los niños de arriba, el director le había despedido y durante todo el santo día permanecía a solas en el cuarto, hablando de modo incansable.

Aquella mañana, por excepción, había salido muy temprano y no regresó hasta las tres, cuando ya Antonia se disponía a quitar la mesa.

—¿Sabes una cosa? — le dijo —. He vuelto a formar mi escuela. — Y al sorprender la mirada del niño, irónica, desconfiada, se había apresurado a añadir —: Una escuela modesta, desde luego, pero esto sólo es el comienzo, el primer paso... — Luego, mientras Pipo fingía interesarse cortésmente, comenzó a explicarle sus características futuras y le puso al corriente de sus planes: en la escuela habría independencia espiritual, libertad de criterio asegurada, falta de toda norma coactiva.

"En un principio, para que cobren interés, les doy algo de comer y, al que responde mejor, le hago, inclusive, algún regalo... Esta mañana, por ejemplo, les he entregado una manzana y una tableta de chocolate..."

Las "clases" se celebraban junto al muelle, a trescientos pasos de la estación meteorológica de la dársena, en una explanada semidesierta que bordeaba un barrio de chabolas.

—Un amigo mío vive casualmente por allí. En su casa dejo la silla, la mesa y la pizarra... Mis alumnos, por ahora, se acomodan en el suelo. No es muy higiénico, desde luego, pero ya encontraré una solución. De momento, todos tienen lápiz y papel, y mañana les llevaré unos cartapacios para que puedan guardar sus deberes.

Sin poderlo evitar, Pipo imaginó al profesor con la chaqueta raída y el cuello almidonado, rodeado de chicuelos medio desnudos, bajo el sol, el polvo y el ronco ulular de las sirenas, enseñándoles las primeras letras con su eterno cigarrillo entre los dedos, convertido en una caricatura de sí mismo, en un pobre y desolado espantapájaros, y experimentó una mezcla extraña de pena y de desprecio.

—Lo lograré — decía para sí — aunque deba dejar la piel. Sé que va a ser difícil, pero lo lograré. Todavía tengo voluntad y energía. Pese a todo, aún no me siento viejo...

Y su voz se había extinguido, mientras sus labios, obstinados, tercos, repetían, repetían aún:

—No me siento viejo... No me siento viejo...

Pipo abandonó la habitación de puntillas. El profesor se había quedado dormido a mitad de la frase y, apoyado en un canto de escritorio, roncaba de modo entrecortado. Sin saber bien por qué, la conversación le había causado una impresión de tristeza y desasosiego. Para matar el tiempo, se puso la chaqueta y salió a la calle.

Desde el comienzo del Congreso, la Vía Meridiana ofrecía al curioso inesperados espectáculos. Sus paredes, postes y árboles exhibían grandes carteles: "*No queremos películas escabrosas*", "*¿Qué ocurre con las piscinas?*", "*La inmoralidad no puede llegar a todos sitios*". La mayoría de las casas lucían en los balcones los escudos de neón de doña Francisca, y en las aceras había multitud de sacerdotes, a quienes la gente manifestaba su fervor, besándoles devotamente la mano.

Pipo pensó hacer una breve visita a Benjamín. Al llegar a su casa vio que la ventana tenía las persianas corridas, como si nada de lo que sucediese le interesara. Decepcionado, se encaminó hacia la parada del tranvía y se detuvo ante el cuartelillo al oír su nombre. González estaba apoyado en una de las jambas de la puerta y, cuando le vio, abandonó la lectura del periódico.

—¿Qué viento te trae por aquí, Pipo? — dijo estrechándole la mano con cordialidad.

—Ya lo ve. Dando una vueltecita, mi cabo.

—Sin duda alguna preocupado por los exámenes.

—No, aún no. Con las fiestas los han aplazado una semana.

—Bien, bien — dijo González, sin abandonar su sonrisa —. ¿Puede saberse adónde vas?

—Oh, por ahí, sin rumbo fijo.

—¿Te molestaría que fuese un rato contigo?

Pipo se acordó de las palabras del Gorila: "Ve con

cien ojos: esos tipos son todos iguales". El deseo de arrancarle algún informe sobre la captura del asesino de Pira le hizo responder:

—Al contrario, mi cabo.

—Cerca de aquí conozco una tasca bastante agradable. Al fondo de la sala hay unas mesas muy cómodas donde podremos charlar a solas.

El bar hacía chaflán con la Vía Meridiana. Su interior estaba decorado con frescos de caza que la luz de neón volvía sombríos y tristes. La patrona les preguntó qué deseaban.

—Dos dobles grandes de cerveza — dijo González.

Antes de sentarse en el asiento que había elegido frente a Pipo, se quitó la guerrera.

—Vamos a ver cuál de los dos bebe más aprisa — añadió, señalándole los enormes jarros dorados.

Para dar ejemplo empuñó uno de los recipientes por el asa y lo mantuvo alzado casi un minuto. Pipo levantó el suyo también. La cerveza estaba fresquísima y se bebía sin darse uno cuenta. Cuando la dejó, su nivel había descendido a la mitad, pero el de González era todavía más bajo.

—Bravo — dijo éste palmeándole —. Eres un bebedor magnífico. — Con la hebra que sacó de la petaca lio diestramente dos cigarrillos —. A veces, mis amigos y yo hacemos también apuestas. — Le entregó uno de los pitillos y lo encendió con el mechero —. Claro que tú no eres un hombre formado como ellos.

—Apenas tengo experiencia de beber — dijo Pipo, exhalando humo por las narices, halagado por la extraordinaria amabilidad del policía —. De todos modos, estoy seguro de que podría beber otra jarra, tan rápido como usted o cualquiera de sus amigos.

—Dicho y hecho — repuso el cabo batiendo palmas —. Otras dos iguales — ordenó a la mujer. Volviéndose de nuevo hacia él, observó —: Antes debemos acabar éstas.

Siguiendo su ejemplo, Pipo atacó también la suya. La cerveza estaba tan fría como antes, pero, ahora, parecía haber perdido el gusto. Sin embargo, haciendo un esfuerzo, la bebió de un tirón.

—He ganado — dijo, jadeando.

—Me desquitaré en la próxima — prometió el cabo.

Aunque su expresión le puso momentáneamente en guardia, su inquietud no fue más que un amago y se desvaneció como humo. González le hacía preguntas inocentes: sobre sus proyectos, estudios y viajes, y Pipo respondía con voz que sonaba a sus propios oídos curiosamente enfática.

No obstante, había algo anormal en la situación. En el hecho de que estuviese allí, con el policía, inventando historias, en lugar de hallarse con la abuela y Antonia, en el piso. Este pensamiento afloraba a su conciencia unos segundos y se disolvía en seguida igual que una burbuja. La mujer había traído otras dos jarras y no le quedaba otro remedio que seguir con la apuesta.

—A tu salud. — Respondiendo al brindis del cabo tomó un sorbo larguísimo que le dejó en la boca un sabor amargo.

Después, sin saber cómo, se encontró hablando por los codos acerca del Gorila. González permanecía al otro lado de la mesa, sonriendo y, de vez en cuando, con voz suave, le hacía alguna pregunta.

—¿No te ha contado nunca nada acerca de su vida? — decía —. Siendo como sois grandes amigos, apostaría algo a que no tenéis secretos.

Pipo quería decir que no, pero, desde hacía unos minutos, parecía que su lengua ya no fuera suya. González subía y bajaba, como mecido en un columpio.

Y una extraña sensación de confianza en el prójimo le hacía comulgar oscuramente con cuantos le rodeaban.

—Es un gran secreto — afirmaba casi a gritos —. Lo contaré si promete no decirlo a nadie.

González asentía con la cabeza, mientras el decorado cinegético del local cobraba vida y el sangriento asesinato volvía a realizarse ante sus ojos.

—¿Les soprendió mientras estaban juntos?

—Sí.

—¿Y qué ocurrió entonces?

—El policía quiso llevarlos al cuartelillo.

—¿Fue allí donde se resistieron?

—No. Más tarde. Cuando volvían de la playa.

Pipo respondía a sus preguntas de modo automático. De pronto, al levantar la cabeza, le entró una gran risa al verlo tan serio, como si no se diese cuenta, el muy tonto, de que también se columpiaba. El cabo batió fuertemente las manos y pidió una taza de café.

—Bebe — murmuró con voz solícita —. Bébelo de un trago.

El café era muy amargo y lo sorbió con repugnancia. No obstante, al poco se sintió mejor. El cabo dejó de oscilar, las paredes volvieron a su sitio. Entonces contempló su jarra de cerveza. Estaba vacía.

—Hemos bebido demasiado — dijo González —. Por mi culpa te has sentido algo indispuesto.

—El otro día me ocurrió igual — explicó Pipo —. Iba en el "Venadito" y devolví lo que había cenado.

—En seguida se te pasará — dijo el policía —. Anda. Tómate otro café.

Esta vez, al beberlo, Pipo cobró conciencia de la situación. Estaba en una tasca con su amigo y habían apostado quién resistiría más. Con súbito interés observó la otra jarra y, al verla, palmeó alegremente.

—He ganado — dijo, señalando la cerveza.

—Sí — dijo González.

—¿Te vas? — exclamó el niño.

Sin saber por qué le había invadido una agradable sensación de fiesta y la decisión del cabo le sorprendió, como una ducha de agua fría.

—Son las nueve y media — repuso González, mostrándole el reloj —. La hora en que tú y yo cenamos.

—¿Las nueve y media? — balbuceó Pipo.

Al salir de su casa eran alrededor de las siete y veinte, lo que quería decir que había charlado más de dos horas con González. Sorprendido aún por fenómeno tan incomprensible, dejó que el cabo le llevase fuera sin objetar nada. Dos horas en blanco, dos horas vacías, durante las que, sin embargo, había hablado...

—¿Te quedas ahí o quieres que te acompañe a tu casa? — se ofreció el policía cortésmente.

Pipo se sentía totalmente restablecido de su extraordinario malestar. Sin contestarle, empezó a subir despacito las escaleras de su calle.

*   *   *

Durante el resto de la noche la inquietud no le abandonó. Cuando llegó, la cena estaba servida y el profesor y la abuela le aguardaban para comenzar. Sin decir nada, Pipo ocupó su lugar a la izquierda de Ortega. Antonia iba de un lado a otro cabizbaja y sombría.

—Vamos, sonríe — solía decirle Pipo —. Cualquiera diría que acaban de darte la extremaunción.

La pobre mujer reía de modo forzado, contenta de verse arrancada unos minutos de su angustiosa espera de la muerte. Pero aquella noche Pipo no se sentía con fuerzas para animarla. La última revelación del cabo le había dejado confuso. Mecánicamente deshizo el nudo de la servilleta y empezó a comer. La abuela refería por enésima vez a Ortega las incidencias de su viaje de novios y, pese a sus heroicos esfuerzos, le resultaba imposible escuchar.

Había dos horas en blanco, dos horas durante las que había charlado con el cabo. No obstante, no recordaba nada. Como si no hubiesen existido. Como si lo hubiera soñado tan sólo. De pronto, evocó la imagen de González columpiándose, mientras él le confiaba en un susurro: "Voy a decirle algo, pero no lo repita a nadie. Es un secreto, un gran secreto", y su inquietud se galvanizó. Secretos no había más que uno: el que el Gorila le reveló en el rompeolas.

"Veamos. Veamos." El cuchillo le había resbalado de las manos y se inclinó bruscamente a recogerlo. "Calma. Un poco de calma." Se acordó de las advertencias de su amigo: "Ve con cien ojos; estos tipos sólo piensan en perdernos" y sintió una aguda sensación de frío. Era un traidor, un vulgar traidor. Depositario de un secreto terrible, lo había comunicado a un extraño.

En el comedor, Ortega y la abuela seguían cenando. Pipo contempló con asombro sus movimientos de cortar el filete, traspasarlo con el tenedor, llevarlo a la boca. Le parecía imposible esta indiferencia, mientras junto a ellos la gente violaba las promesas y los amigos eran entregados. ¿No veían sobre su frente el terrible estigma? ¿No estaba, como el maldito de la Biblia, marcado por la traición?

Sin tomarse el trabajo de dar explicaciones, salió dando un portazo. No tenía un segundo que perder. Tal vez a esas horas el Gorila estaba ya en peligro; tal vez la policía se disponía a interrogarle. Oh, ser sólo un niño con equipos de asesino de juguete, en lugar de ser un verdadero gángster...

Los escalones de la calle desaparecían bajo sus plantas. Sin darse cuenta, Pipo se encontró al lado del sordomudo que agitaba el platillo. Fuera, fuera. Necesitaba volar como Flash Gordon, poderse adelantar a González. Como una tromba entró en el cuartelillo de la policía, pero un guardia le detuvo en el patio.

—¿Tendría usted la amabilidad de avisar al cabo González?

—El cabo González no está.

—¿Ha regresado a su casa? — preguntó el niño —, ¿o está de servicio?

—No lo sé. Se ha ido sin decir adónde iba.

Pipo se encontró de nuevo en la calle adornada con escudos y luces, como invadida por sus propios habitantes. Grupos de curas y monjas, peregrinaciones de niños conferían al barrio una fisonomía ignorada. Sobre los árboles, equipos de radiotécnicos distribuían altavoces en forma de campanilla, pintados llamativamente. Los altavoces zumbaban, emitían pitidos, carraspeaban.

—Atención, atención... Hablo, hablo...

Pipo guardaba en un bolsillo la libretita en donde, un día, anotó la dirección de González: "Cabo G., Llorens-Barba, 15, cuarto derecho". La calle, según tenía entendido, no quedaba lejos. Escasamente a diez minutos de automóvil.

No había taxis, pero tuvo la fortuna de encontrar uno en el momento en que sus ocupantes lo dejaban. Los quince duros que tenía en la cartera — producto de su última incursión al armario — bastaban para el trayecto. A través de las ventanillas contempló las luminarias, los carteles alegóricos, el incesante desfile de peregrinos. La gente paseaba como si fuesen las cinco de la tarde. Las personas mayores luciendo sus emblemas, los niños agitando alegremente banderitas.

El taxi se adentró por la calle Llorens-Barba, adelantándose a la riada humana que pasaba por la Vía Ancha. La puerta del quince estaba abierta y Pipo subió en un maltrecho ascensor hasta el cuarto piso. Antes de llamar al timbre vaciló. El corazón le latía anormalmente y las manos le temblaban. Al fin, se decidió mediante un esfuerzo. En seguida oyó un "¡ya va, ya va!" de labios femeninos y, sin saber qué hacer, se acodó en el pasamanos.

—El cabo González, por favor — dijo a la desaliñada mujer que acudió a abrirle.

—No está — repuso ella —. Precisamente acaba de telefonear diciendo que tiene un servicio.

Al oírla, Pipo hizo ademán de retirarse. La mujer le preguntó, sorprendida:

—¿Deseas verle para algo particular?

—No — contestó el niño —. Sí. Es decir — aclaró —, para un asunto privado.

—Si quieres que le dé algún recado de tu parte... — propuso ella.

Pipo iba a decir que no, pero se detuvo. Tenía en el bolsillo un trozo de lápiz y escribió en la libretita: *"Todo lo que le conté esta tarde es falso"*. Luego entregó la hoja doblada a la mujer y le dio las gracias.

Aturdido aún por el fracaso, bajó los escalones a tientas. La puerta estaba abierta todavía y salió a la calle con los ojos llenos de lágrimas.

Al llegar a la Vía Ancha quiso tomar el tranvía de los muelles, pero no logró abrirse camino entre la gente apiñada en las aceras. Una carroza rectangular, con actores vestidos con trajes medievales, avanzaba por el centro de la calzada, precedida por el canto confuso de un coro de niños. Pipo se subió en un farol para atalayar. La procesión era larguísima, for-

mada por docenas de carrozas semejantes a la que había
visto, con adornos, emblemas y oropeles. Sin creer aún
en la realidad del espectáculo, se dirigió al urbano que
hacía retroceder los autos en la esquina.

—¿A qué hora será posible cruzar? — dijo.

—No lo sé — repuso el hombre sin mirarle —. En
cualquier caso no antes de madrugada.

*　*　*

Después de veinte minutos de espera, el niño ingenió un medio de salvar el obstáculo. Algunos sacerdotes y seglares iban de una hilera a otra por en medio
de la calle, dirigiendo las preces de los fieles. Tomando de la mano de una vieja uno de los cirios, Pipo atravesó tranquilamente la calzada y lo entregó, al llegar
a la otra acera, a uno de los mirones.

Una vez entre la gente, a cubierto de toda sospecha,
se abrió paso, a empujones, hacia la primera travesía.
Después de la aglomeración de la Vía Ancha, correr
por el arroyo desierto resultaba casi agradable. La calle descendía perpendicularmente hacia el puerto. En la
esquina vio la lucecita verde de un taxi.

—Al final de la Vía Meridiana.

El trayecto transcurrió en un santiamén. Cuando se
dio cuenta, Pipo había atravesado la plazoleta y corría
por la explanada del muelle bajo la helada luz de los
focos. Entre las docenas de barcas descubrió inmediata-
tamente al "Venadito". Estaba en la esquina, arrinco-
nada entre las traineras. Golpeó. Nada. Nueva tanda de
golpes.

Le pareció oír algo y aguzó el oído.

—¿Quién hay? — Era la voz de Norte.

—Soy Pipo.

—¿Qué quieres?

—Ver al Gorila.

—No está.

—¿Dónde está?

—No lo sé.

Norte había levantado la tapa de la escotilla y asomó su cabeza desmelenada.

—¿Ha ocurrido algo?

—No — tartajeó —. No; nada.

—Yo creo que, si quieres encontrarlo, debes ir a la Bodega Alicantina.

—Sí, iré allí.

—Con la Juanita seguro que no está. Antier volvieron a pelearse.

—Gracias.

Otra vez en los muelles desiertos. Como figuras de pesadilla el niño vio docenas de mendigos dormidos sobre las cestas de pescado y regresó por donde había venido, evitando la garita de los carabineros. Temía que su traición se hubiese hecho visible, que, como una lepra, marcara los rasgos de su cara.

En la Vía Meridiana apenas había tráfico. En cambio, la gente llenaba las terrazas de los cafés, y los escudos del Congreso lucían en las ventanas. Un altavoz de radio describía el desfile a voz en grito y personas ociosas se detenían a escucharlo en medio de la calle.

"... *Es un momento de gran emoción, señores; un momento en que la multitud, toda la inmensa multitud que cubre las amplias aceras, ha caído de rodillas, como electrizada*..."

Pipo dejó atrás los grupos de curiosos y se adentró por la primera bocacalle. Ahora conocía el camino de memoria y lo hizo jadeando, en dos minutos. Desde la puerta sin vidrio de la bodega inspeccionó el interior: no estaba. Sin decidirse a entrar, preguntó a uno de los viejos sentados en el bordillo.

—Se ha ido — dijo el mendigo —. Se largó con dos amigas, hacia allí. Seguramente que andará por el bar Vasco...

—¿El bar Vasco?

Tampoco la mujer de las cerillas conocía la dirección. Pipo probó con uno de los buzos. El hombre le señaló a la derecha con la mano.

—Sigue recto, tres, cuatro travesías. Siempre sin cambiar de acera. En la esquina verás una casa de habitaciones. En la planta está el bar Vasco. Eh, tú — añadió poseído de un súbito escrúpulo —, no es un lugar para chavales.

El niño continuó su carrera. La atmósfera de excitación colectiva empezaba a pesar sobre su ánimo. A través de un balcón la radio hacía oír su voz vehemente: "*La multitud es un río sin fin. Imposible calcular, señores, el número de fieles que presencian estos magnos actos...*" En una de las travesías estuvo a punto de derribar a un chiquillo, pero ni siquiera se tomó el trabajo de disculparse.

Correr, cada vez más aprisa, correr aún. Su apresuramiento era tal que, al llegar al lugar señalado, pasó de largo. Se dio cuenta en seguida y se detuvo un segundo a respirar. Había una fuente cerca y bebió un sorbo de agua. Mientras se secaba, un hombre le hizo una señal obscura. El niño se alejó sin escucharlo.

Al doblar la esquina topó con el bar. El Gorila estaba, tal como decía el viejo, en compañía de dos desconocidas. Su amigo, no obstante, demostraba una gran intimidad con ellas, las mantenía abrazadas por los hombros y daba de vez en cuando, a la más gorda, besos ruidosos en la cara. Pipo se aproximó a la mesa:

—Gorila... — Nadie le miraba —. Gorila... — Debía hacerlo más fuerte —: Gorila — balbuceó.

—Eh, tú — dijo la mujer gruesa, pellizcándole —. Hay un chiquillo que te busca.

Su amigo le contempló con su rostro de oso rubio, empañado por una niebla extraña. En contra de lo que Pipo esperaba, no manifestó sorpresa alguna. En sus turbios ojos azules hubo un relámpago de alegría, seguido de un movimiento brusco que liberó de su forzada posición a los dos brazos. Atrayéndole hacia sí le dio un beso, que olía a vino, en plena cara.

—Eh, oye — exclamó la mujer gorda tirando de la pescadora —. ¿Qué estás haciendo con el niño?

—Es mi hermano — proclamó orgullosamente el Gorila —. Tengo derecho a besarlo.

Así lo hizo por segunda vez, sin darse cuenta de que Pipo inclinaba la frente, abrumado por el peso de su traición.

—Ah, si sois hermanos — rectificó la mujer —, no tengo nada que oponer. — El niño tropezó con sus ojos saltones y miró, avergonzado, sus zapatos —. Como no tenéis gran parecido, creí...

—Desde luego, si no es porque él lo dice, jamás lo habría supuesto — añadió la más delgada —. Es tan finito...

—Ven, sietemachos — dijo el Gorila, alargándole una silla —. Te presento a mis amigas.

—¿Cómo se llama tu hermano? — preguntó la gorda, besuqueándole.

—Pipo — repuso su amigo.

—Pipo — dijo la mujer —. ¿Quieres comer algo?

—No, muchas gracias — logró articular el niño.

—Qué voz — exclamó la flaca —. Este crío parece de casa fina.

—Lo es — afirmó el Gorila, abarcándolas de nuevo con sus brazos —. Mi madre, con sus ahorros, le pagó el bachillerato en Madrid.

—Hay que ver — dijo la delgada —. Con lo joven que es.

—Aquí donde le veis — anunció el Gorila —, sabe más que muchos profesores: filosofía, álgebra, gramática...

—Al mío le enseñan algo de gramática — explicó la delgada —. No gran cosa, desde luego...

—En las escuelas municipales no se aprende nada — le cortó la otra —. Mi sobrina fue allí dieciocho meses y todavía salió más ignorante.

Pipo soportaba su charla con impaciencia. Antes de entrar en el bar había proyectado una rápida confesión de su culpa. La presencia de las mujeres hacía su misión más difícil. Por un momento pensó en llamarle aparte y decírselo, pero el Gorila estaba demasiado bebido para comprender la situación. Para colmo de males, obedeciendo una orden, el mozo acababa de traer otra botella.

—Y un vaso grande para mi hermano.

Estaba preso, atrapado como un espectador inocente en la sangrienta Cámara de Horrores del Parque de Atracciones, con la diferencia de que no cabía el remedio de aferrarse, como entonces, a las nudosas manos de su abuela, para convencerse de que podría abandonar el circuito sin sufrir el menor daño. Ahora, la Cámara de Horrores no tenía fin: era una pesadilla viva con actores inmóviles, en la que, el único que corría era González. Bastaba arrojar una mirada en torno para convencerse. Ajeno al peligro, el Gorila bebía un vaso tras otro, las mujeres charlaban tranquilas en la mesa y, aunque él era el único que sabía, estaba paralizado también.

—... Mira, toca, parece que sea de piedra.

—Desde luego has hecho mucho ejercicio.

—Me gustaría sacarme la pescadora para que vieseis la espalda.

—No hace falta que te la quites. Puesta y todo se ve.

—Pues debe ser la medida mayor. La de mi novio era más chica y, sin embargo, es muy hombre.

—Hace años — dijo la gorda — conocí a un tipo que, cuando quería, me levantaba como nada...

—¿A ti? — exclamó el Gorila —. Vaya mérito. Ahora mismo lo hago con una mano.

La mujer no parecía muy deseosa de someterse a la prueba. En vista de ello, desasiéndose de su abrazo, el Gorila se plantó, como un actor de variedades, en el centro del local. Una vez allí, después de frotarse las muñecas, asió un velador de mármol con cada mano y, pulgada a pulgada, con visible esfuerzo, los levantó del suelo hasta una altura muy respetable.

Los clientes del local, coreados por los que se habían parado a ver en la puerta, premiaron la exhibición con aplausos. El Gorila permaneció unos segundos clavado en el sitio, resollando como un toro, mientras, torpemente, intentaba enjugarse el sudor. La gorda le trajo un vaso de vino y él lo apuró de un tiento. Aunque muchos acudían a felicitarlo, se escabulló agitadísimo.

Pipo le vio delante de él, más gigantesco que nunca, rojo todavía por el esfuerzo y con la córnea inyectada en sangre. Rompiendo la inercia que lo inmovilizaba, se puso de pie.

—Tengo que hablarte — dijo —. Necesito explicarte algo a solas.

Inútil. El Gorila no oía nada de lo que le decía y, en su lugar, repetía con voz estropajosa:

—Hazte respetar... No permitas que te falten...

En la mesa de al lado había un hombre pequeño
con el rostro lleno de cal, un mono blancuzco y un
tricornio de papel de diario. El Gorila lo contempló
con arrobo.

—¿Es usted payaso?

—Soy albañil — repuso, disgustado, el hombre.

Decepcionado, el Gorila volvió a la mesa de las
mujeres.

—Escúchame — sollozó débilmente Pipo.

Pero ya su amigo había tomado asiento junto a la
gorda e intentaba sentarla en sus rodillas tirándole torpemente del brazo:

—Ven.

—Déjame.

—Un solo beso.

—Que me haces daño...

El Gorila quiso beber del jarrón, pero la flaca se lo
quitó de las manos.

—Anda, sé buen chico. Ya has bebido bastante.

—Sí — corroboró su amiga —. Paga la cuenta y vámonos.

Visiblemente contrariado, el Gorila mudó la silla de
sitio y fingió interesarse de repente por la conversación
de sus vecinos.

—Yo lo fui en el treinta y uno y en teoría continúo
siéndolo.

—No me negará que, en la práctica, resultó desas-
troso para todos.

—No, no se lo niego. Pero debe usted reconocer
que, entre ellos, había republicanos sinceros. — El más
joven hablaba con voz pastosa.

El Gorila observaba la escena sin decir nada y se
incorporó con el rostro encendido.

—¿Quiere usted hacer el favor de repetir lo que
ha dicho?

El grupo permaneció en silencio durante unos segundos. Audazmente, el joven echó la silla hacia atrás.

—Sinceros, sí, señor, sinceros.

Al oír la respuesta, el Gorila rompió a reír y alargó su mano al muchacho.

—Bravo — aplaudió —, así me gusta. — Sus ojos brillaban tiernamente protectores —. Véngase usted a beber conmigo.

—Gracias — respondió una mujer con voz seca —. Mi novio no suele alternar con desconocidos.

—Tú te callas — ordenó el joven, colérico —. El señor es amigo mío e iré adonde me parezca.

Se incorporó, sin hacer caso de sus amenazas, no sin servirse antes un último trago. El pulso le falló a medio camino y el vaso resbaló y se hizo añicos.

—¿Lo ves? — exclamó la mujer, furiosa —. ¿No te lo decía?

—Esto no tiene ninguna importancia — dijo el Gorila, hincando la rodilla en el suelo —. Igual me da comerlo entero que a pedazos.

En medio de la expectación de los reunidos, se metió en la boca un puñado de cristales.

—Les falta sal — anunció, dirigiéndose al dueño —. Si los hacen ustedes tan sosos, cambiaré de restaurante.

El muchacho, entretanto, se había sentado frente a Pipo e intentaba liar un cigarrillo con dedos temblorosos. Mientras las amigas del Gorila discutían en voz baja, empezó a contarles una historia confusa de división de poderes, pluralidad de partidos y elecciones.

Plantado en el centro del bar, con las musculosas piernas apartadas y los brazos cruzados sobre el pecho, el Gorila continuaba ronzando el vaso. Cuando acabó, se puso la boina, hundió las manos en el azul descolorido de su pantalón y, contoneándose ligeramente, se encaminó hacia la mesa en donde le esperaban sus amigas.

—Otra botella para mi hermanito — gritó.

Los ojos del niño telegrafiaban mensajes de miedo y él continuaba inerte, atontado. Confiadamente se enjugaba el sudor con el pañuelo, repartía sonrisas, bromeaba...

—Gorila — logró articular al fin —. Gorila... — Sus ojos se habían aguado y tartajeó —: Yo, lo saben todo... el cabo...

Nadie le oyó porque, en aquel momento, una mujer teñida de rubio irrumpió con gran excitación, advirtiendo a los que tomaban café en el mostrador:

—La policía acaba de acordonar el barrio.

Pipo dejó caer el vaso al suelo; pero el movimiento pasó inadvertido en medio del general revuelo de pasos y voces.

—Han cercado las tres manzanas — decía, acalorada, la rubia—. Al menos vienen cinco jips.

El niño continuó en el asiento, incapaz de mover un solo músculo. Imaginaba a González, con sus cejas de diablo, dirigiendo la operación de captura. Muchas veces, en el cine, había vivido una escena semejante: el pobre criminal feliz, ignorando lo que se le venía encima, mientras sus perseguidores apretaban el cerco alrededor. El Gorila era la encarnación misma del fatalismo. Estaba perdido ya, irremisiblemente perdido, e inclinó la cabeza para evitar que viese sus lágrimas.

—Eh, tú — decía la gorda, zarandeándole —. Paga la cuenta y llévame al hotel, que hacen redada.

Su amigo le entregó la cartera somnoliento y ella cogió un billete de cien. En vista de que el mozo no venía se levantó y regresó al cabo de poco con la vuelta.

—Anda; vámonos...

El Gorila parecía oírla entre brumas y se incorporó a regañadientes.

La mujer le tiraba de la mano y le obligó a salir a la calle.

—¿Y yo? — dijo la flaca —. ¿Adónde voy?

Su voz no denotaba irritación, sino angustia y, como hipnotizado, Pipo se vio obligado a mirarla.

—Chiquito — los labios le temblaban al hablarle —. ¿Quieres salir afuera conmigo? ¿Quieres llevarme de la mano?

Por la acera de enfrente corría una mujer. Media docena de hombres, vestidos de civil, bajaron de un auto con los faros apagados.

—Van a llevarse a las del "Maño" — sopló la mujer a su oído.

El Gorila y la gorda acababan de entrar en "Habitaciones desde diez pesetas". Casi sin darse cuenta, Pipo se encontró en el portal vecino, del brazo de la otra.

—Anda, sube, sube... Estoy segura de que no llegarán hasta arriba.

—¿Y él? — dijo, temblando, el niño.

—¿Él? — dijo la mujer antes de hundirse con él en la sombra —. Déjale que se apañe.

* * *

Los escalones eran de madera y no había siquiera barandilla. Como tampoco funcionaba la luz, tuvieron que subir a tientas tres pisos. Al llegar al cuarto, la mujer le detuvo y encendió el mechero. Estaban en un pequeño rellano limitado por una puerta que debía conducir a los altillos.

—Quedémonos aquí — dijo soplando la luz —. En caso de que suban, diré que somos familia.

—Sí — murmuró como un eco el niño.

—Como somos incontroladas, siempre corremos ese riesgo. Pero ahora, con el Congreso dichoso, no nos dejan ni un día en paz.

Decididamente la mujer le hablaba en clave y Pipo cesó de prestar atención a sus palabras. Por un motivo ignorado, su proximidad le causaba una extraña turbación.

Siguiendo su ejemplo se sentó en el último escalón, junto a ella, con la mirada en el hueco aterrador por donde, de un momento a otro, podía surgir la policía. Sin poderlo evitar, su ansiedad por la suerte del Gorila había cedido algo al temor que abrigaba por sí mismo. ¿Qué era él, al fin y al cabo? Un cómplice. ¿Y qué era la complicidad según las leyes? Un delito grave.

Días después de su confesión, cuando su amigo le reveló los pormenores del crimen, le había puesto en guardia contra el peligro: "Ahora estás tan complicado como yo y, si se enteran, también te encerrarán". Y la espesa oscuridad que les rodeaba se pobló de escalofriantes imágenes de prisiones infantiles en donde los guardianes torturaban a los niños, la violencia era la norma de autoridad y un código implacable castigaba cruelmente todas las faltas. Aquellas prisiones acogían huéspedes inocentes y devolvían tan sólo cínicos malvados. Existían, existían de verdad, e iría a ellas de no mediar milagro.

Imaginaba a los guardianes, con sus aleves y crueles sonrisas; los compañeros divididos en clanes siniestros; el cabello rapado; las duchas de agua fría. No; no era posible. Sin poder contenerse se abrazó convulsivamente a la mujer en el momento en que sus pasos resonaban en el portal y una pincelada de luz alcanzaba la pelea del montacargas.

—Son ellos — oyó Pipo junto al oído —. Ya vienen,

—Sí — tartajeó.

—Los cabrones. Nos buscan casa por casa.

Dos focos divergentes tanteaban las curvas de la escalera.

Una voz gritó repetidas veces alto.

—Estoy listo — susurró el niño —. Ni siquiera llevo armas.

—La última vez — decía la mujer como para sí — me tuvieron encerrada dos meses.

—Le habrán detenido a él y ahora vienen por mí.

—A las reincidentes las envían a un campo.

Las pisadas se detuvieron un momento, como si sus seguidores hubieran llegado al descansillo.

—Están ya en el primer piso — sopló la mujer.

—Todavía faltan tres...

—Luego...

—Luego...

—El campo — casi sollozó —, el campo.

Y entonces, como una condensación de todo su miedo, la cosa se produjo: Pipo sintió que sus manos se desprendían de la mujer como si algo fuese a estallarle, algo que brotaba ya, al excitado compás de su pulso, hasta dejarle dulcemente agotado.

Cuando se recuperó (tenía la impresión de haber realizado un gran esfuerzo), los policías habían desaparecido. A su lado, la causante del maleficio intentaba, torpemente, enjugarle las lágrimas.

—Chiquito — oyó que le decía. (Su voz le llegaba aún desde lejos.) —. ¿Qué te ha pasado?

* * *

Dictó sentencia contra él mismo: era culpable. Confidente de un secreto terrible había traicionado su promesa. Por su infidelidad, el Gorila moriría tal vez. Lo

sucedido en la escalera, junto a la mujer, constituía una
señal irrefutable de su pérdida, indeleble como la marca
que señalaba la cara de los grandes malvados de la Biblia. Era un traidor, un nuevo Judas: como él, había
vendido a su amigo por unas miserables copas con González; como él, acababa de besarle en la cara delante del
público, como él... La continuación del pensamiento le
produjo terror, pero algo más poderoso que su miedo
le obligó a completarlo: se mataría, sí, se colgaría finalmente de algún árbol. "¿Quieres sentarte un rato, pequeño? ¿Quieres beber un poco de agua?" Al abrir los ojos
se dio cuenta del lugar en que estaba: un quiosco improvisado de bebidas en donde un nutrido grupo de curiosos
escuchaba el relato de la radio: "*Docenas de miles de
personas, señores, se acercan a la Sagrada Mesa ento-
nando el majestuoso himno...*" La vieja regresó del mostrador con un vaso: "Bébelo. Te reconfortará." "Muchas gracias." Todavía aturdido, miró en torno, tratando
de orientarse. Como durante su charla con el cabo, experimentaba la sensación de un vacío, de un espacio
hueco. "¿Qué calle es ésta?" "La calle Marina." "Gracias. Mil gracias." "No te vayas aún. Siéntate un poco."
"Es usted muy amable, pero me aguardan en casa." "Si
no te encuentras bien aún..." "Sí, ya me ha pasado." Seguido por la mirada recelosa de la mujer, atravesó la calzada sorteando un grupo de peregrinos. Estaba todavía en
la zona baja y se encaminó hacia los arsenales. Las calles
bullían de curiosos que paseaban, bebían, escuchaban la
radio. Las casas parecían transfiguradas bajo la magia
luminosa de los escudos. Además de la gran ceremonia
retransmitida, cada barrio celebraba su propia fiesta.
   Los árboles ocultaban en lo espeso del follaje altavoces potentísimos: "*Como burbujas de jabón que brillan un momento y luego se deshacen para siempre, así
han sido en la Historia los grandes imperios humanos.*

Han existido, ya no existen; pasaron, perecieron. De ellos no quedan sino grandes cementerios de ruinas. Y aún esas mismas ruinas se arruinan: esta es la ley inexorable de la Historia..." El orador hacía oír su voz aunque se tapase los oídos. Huyendo de sus admoniciones, Pipo dobló la esquina. Allí también había reunión nocturna y un sacerdote rezaba el rosario. El niño se abrió paso entre los fieles tiritando de frío.

La voz acusadora de los altavoces le parecía una advertencia divina; como si, en vez de hablar para todo el mundo, él fuese el blanco especialmente señalado. Avergonzado, miró a su alrededor: las mujeres llevaban cirios, los hombres se persignaban, todos pertenecían a una comunidad de fieles en la que la traición, la deshonestidad, el pecado, no tenían cabida. Él, en cambio, estaba fuera del orden, aislado como un paria. Los escudos producían la impresión de aguantarse por sí solos. Las luces, la agitación, los cánticos contribuían a crear el espejismo. Todo temblaba, refulgía, daba vueltas. "Condenado. *Condenado*. CONDENADO..." La voz le perseguía, obsesiva, oculta entre las ramas de los árboles, le aguardaba, emboscada, detrás de las esquinas. Inútil ocultarse o escapar. Dotada de poder milagroso, leía en la frente de los hombres, descubría sus pensamientos más secretos: "Yo... He sido yo... Por mi culpa..." Sin saber por qué, se acordó de la tarde en que, un año atrás, vació el cepillo de la iglesia durante las vacaciones; mientras huía con el botín tropezó con el cura en medio de la plaza; no tuvo tiempo de evitarlo; el impulso de la carrera le llevó directo a su encuentro: "Niño — le gritó con su voz honda y sonora —, ¿no sabes que robar es un pecado?" La Voz era como el cura, desvelaba todos sus secretos. "Me mataré — susurró —. Debo matarme." La formulación de su pensamiento le hizo estremecerse y, reteniendo el aliento, buscó apoyo en un árbol. "¿Te sientes mal?" Pipo se volvió miedosamente: le hablaba un hombre calvo, grueso, con la nariz en forma de almendra. "No — dijo —. Es decir, sí... Un mareo. Un mareo sin importancia." "En la esquina hay una botica. Si quieres puedo acompañarte." "Iré yo solo, gracias." "Pídeles un comprimido de aspirina. Digan lo que digan, es el mejor calmante." "Gracias — balbuceó él —. Muchas gracias." La Voz percutía dolorosamente en su cerebro, zumbaba en sus oídos como una caracola de mar. "Perdóname, Gorila — dijo a media voz —. Lo hice sin querer... Te amaba..." Serenidad, sosiego, calma, calma... La mujer se había quitado los lentes y le miraba sorprendida: "La cola empieza aquí detrás". Él volvió a sollozar y dijo: "Te juro que no quise traicionarte". La mujer se puso los lentes y retrocedió para hacerle sitio: "Está bien, si tienes prisa, te dejo pasar delante". Pipo no quería escuchar la Voz y se tapó cobardemente los oídos. La mujer revolvió dentro del bolso y le entregó un libro de imágenes: "Ten. Esto te servirá para el examen". "¿Examen?" "Sí. Ahí donde está la cinta." Él buscó unos instantes, con dedos temblorosos. "No puedo leer — dijo al fin —. Todo se mueve." "Entonces cruza las manos sobre el pecho y haz el examen tú mismo." Pipo cruzó las manos sobre el pecho y dijo: "¿Examen?" La mujer se llevó el índice a los labios: "Chist. No hables". "¿Examen? — repitió él como un sonámbulo —. ¿Qué examen?" Los de la cola le observaban torvamente y volvió a experimentar frío. Tal vez tenía la señal en la frente y leían su pecado; tal vez... "¿Se ve? — inquirió con un susurro —. ¿Se ve ya?" La mujer le contempló con disgusto. "La señal — aclaró él —. Todos me están mirando." "Silencio — ordenó ella —. Distraer la atención de los que rezan es pecado también." El niño descubrió a un cura confesando a los de su fila y cerró los ojos, como alucinado por una pesadilla espantosa. La magnitud real de su crimen se ofreció desnudamente ante él, dejándole exhausto, vacío. No, su culpa no admitía perdón, nadie podía lavarla. Al caminar, le pareció que alguien le tiraba, con hilillos, de las piernas y se detuvo, de nuevo, al pie de un árbol, asediado por los cantos, las preces, las palabras. "Todo rueda, todo da vueltas, todo..." A través de una brillante película de lágrimas, descubrió a Benjamín mientras susurraba algo en la oreja de un chico, y el recuerdo de lo ocurrido el día de las bolas le alcanzó como un impacto. Benjamín repetía una vieja escena, sus movimientos adquirían un aire de contradanza. "También él gira. También él está preso en la telaraña." El aislamiento contra el que todos luchaban le causó horror. "Estamos solos. Los caminos no conducen a ningún sitio." Huyó, frente a la entrada de la dársena. El guardián estaba dormido y, sin saber cómo, se encontró corriendo por el muelle. Allí, entre las grúas, cajas, tinglados, no había absolutamente nadie. Tras el barullo de hacía unos momentos, la calma parecía casi mágica. La agitación ciudadana se manifestaba, tan sólo, por un impreciso murmullo de radios y chirridos de tranvía. El niño se sentó en un noray, fascinado. La masa negra de agua que tenía a sus pies le atraía. Cerrar los ojos, abandonarse, caer. Las aguas le abrazarían sorprendidas y le cubriran al cabo de un instante... "Eh, chaval." Pipo retrocedió dando un brinco. El guardián de la garita acababa de despertarse: "¿Puede saberse qué diablos buscas?" "Nada — balbuceó —, miraba el agua." "Pues si tanto te gusta, mírala cuando sea de día. Desde las nueve no puede entrar nadie." "No... no lo sabía." "Anda, lárgate arreando; si viene el cabo no quiero que me abronque por tu culpa." "Usted perdone", dijo humildemente el niño. Y sólo se dio

cuenta de su error al salir del recinto. Había fracasado
otra vez; algo más fuerte que él le había impedido, de
pronto, llevar a cabo su resolución. Quedaba, naturalmente, el recurso de echarse delante de un tranvía o entre las ruedas de un automóvil, pero tal proyecto no era,
como el otro, cosa decidida, sino una simple idea sin
consistencia, incapaz de soportar los rigores de un examen. Sin saber qué hacer, se adentró por una calle silenciosa. Necesitaba descansar, reflexionar con calma
unos segundos. En el bolsillo del pantalón había un billete de cinco pesetas y entró en un bar iluminado con
un neón. "Un coca-cola", dijo desde la barra. Intentó
concentrarse, pero no lo logró. Las ideas se le escurrían
como gotitas de mercurio. Decepcionado, se entretuvo
en escuchar la conversación de sus vecinos. Luego pagó
la consumición y salió a la calle. Al doblar la primera
esquina, el Congreso volvió a digerirle: *"¿Cómo surgió
la vida?, pregunto. Ni una palabra. ¿Dónde están las
«infinitas razones» y los «frutos del desarrollo de las
ciencias en los últimos siglos»? ¡Silencio!"* La multitud
que se dispersaba de la vela nocturna volvía a sus casas,
bulliciosa y alegre. Pese a que eran las tres de la madrugada nadie pensaba en dormir. Los vecinos charlaban,
bebían, se paraban a escuchar junto a los receptores. El
niño callejeó unos minutos, perdido. De nuevo le asalta-
ba la impresión del tiovivo: señoras con misales giraban
al lado de curas con barbas blanquísimas; niñas vestidas
de primera comunión junto a mozalbetes endomingados.
"Mamá", gritó. El mismo se daba cuenta del absurdo,
pero volvió a repetir: "Mamá", mientras los altavoces
atronaban, la gente se agitaba, los escudos refulgían.
Pipo huyó por la primera travesía. Era una calle reeta,
pina, que conducía hacia el Parque. Allí no había bares
ni altavoces; tan sólo alguno que otro escudo. Como per-
seguido, subió los inacabables tramos con prisa innece-

saria. Al llegar arriba jadeaba, pero se sentía más tranquilo. Estaba en una zona solitaria, acunada por los susurros de los amantes ocultos tras la espesura. Buscó un lugar apartado y, abrumado por el cansancio de la jornada, se tumbó en el suelo de bruces.

* * *

Cuando despertó, el sol emergía entre los arbustos y el aire era transparente y limpio. Con cierta sorpresa observó que no había sido el único en pasar la noche al sereno. Cerca de él descubrió una pareja dormida en actitud de besarse; más allá, un borracho permanecía aferrado a su botella. El césped estaba sembrado de papeles, sobras de comida, rescoldos, cascotes de vidrio. Después del enloquecido ajetreo de la víspera, el silencio le pareció maravilloso. Gracias al rocío de la noche, las hojas se esponjaban; la hierba se había salpicado de alevillas; ocultos en el follaje, piaban infinidad de pájaros.

Avanzando unos metros, Pipo contempló la ciudad dormida a sus plantas. También ella parecía descansar después del barullo, como reuniendo fuerzas para el grandioso desfile de la tarde. Su barrio quedaba justamente enfrente. Durante largo rato observó la calle Mediodía.

La vista de su casa, con las persianas descorridas le produjo una confusa emoción teñida de tristeza. Pensó en la abuela, en Antonia, en la ansiedad con que aguardarían su retorno: una convertida en desdibujada sombra de sí misma; otra esperando, temblorosa, la sentencia del médico. Había sido inhumano y cruel. Cualquier muchacho de su edad se hubiera preocupado de su salud, de su defensa. Él las había dejado en pos de amistades imposibles, se había comportado como un ingrato.

El recuerdo de los hurtos diarios, despojado de los

falaces pretextos con que los revestía, le causó vergüenza y horror. ¿Cómo había podido obrar de modo tan indigno? ¿Cómo había llevado a tal punto su obcecación y ceguera? Amargas lágrimas de arrepentimiento y enmienda empañaron su visión de la calle bajo un tamiz de rayos leonados. Lo ocurrido la víspera, como su vida anterior, le pareció, de pronto, algo muy remoto. El espectáculo de su barrio dormido le llenaba de ternura. Imaginó a la abuela rezando por su regreso y a Antonia sollozando y regañándole; al profesor obstinado en cambiar la faz del mundo y a Arturo apuntando al monte con sus prismáticos; al gitanito sordomudo agitando el platillo y a Benjamín enclaustrado en el interior de su pecera. Era su barrio, el lugar donde había nacido, y moriría, quizá, de puro viejo.

"Hay algo más triste que envejecer; es continuar siendo niño." Su amistad con el Gorila evidenciaba una nostalgia de la infancia, la busca de una inocencia imposible. Pero todo conspiraba contra esta inocencia y la hacía saltar hecha pedazos; el cuerpo crecía y se poblaba de deseos; los años se sucedían con su cargamento de certidumbre y de promesas; en primavera los campos se teñían de verde y en otoño caían las hojas; las mariposas habían sido orugas un día y los asesinos habían succionado siendo niños los pechos de sus madres. La vida seguía su curso y resultaba imposible volver atrás. Uno era niño, se hacía joven, apuntaba a hombre y llegaba a viejo, sin saber cómo, sin protestar; porque la vida era así y era preciso resignarse. Vivir era ya elegir, y había que decir sí a todo, sin remedio.

Cuando se dio cuenta corría por el sendero, hacia su casa. Era el hijo pródigo: el niño perdido y hombre recobrado. Desde el camino podía ver el barrio de las antiguas chabolas. Ahora, piquetes de obreros retiraban los últimos escombros. Al parecer, iban a edificar una iglesia rodeada de jardines; para ello, otros piquetes plantaban, entre las ruinas, abetos, pinos y flores. Sin poderlo evitar se acordó de las protestas indignadas de Ortega e hizo suya la razonable respuesta de don Paco: "Si los sacan es porque los alojan en otro sitio". Y los alojaban, sin duda.

Por algo lo decían los diarios.

CAPÍTULO OCTAVO

L A procesión estaba señalada para las cinco, y a partir de las cuatro la calle Mediodía comenzó a desperezarse. Formando pequeños grupos, los vecinos se
asomaron a sus terrazas: las mujeres vestidas de modo
llamativo; los hombres, con sus trajes de paseo; en medio
de ellos, los niños exhibían con orgullo sus rodillas limpias, el pelo bien peinado y los guantecitos blancos, que
llevaban en la mano, sin ponérselos, igual que los solda-
dos de permiso después de los desfiles.

Doña Francisca y su marido fueron los primeros en
abandonar la casa. Doña Carmen de la Cueva, esposa
del delegado, había enviado a buscarles el "Renault" del
consurso-rifa de *Chocolates El Gato* e iban a presenciar
el espectáculo de la llegada del Nuncio desde el mismísimo palco de las autoridades. Mientras bajaban hacia la
Vía Meridiana, doña Francisca se detuvo unos momentos a mirar la panorámica de los bloques de viviendas de
la carretera, adornados con los escudos azul-amarillo del
Congreso. Con un ademán se persignó ante el guión
del gremio de carpinteros y, del brazo del marido, prosiguió su marcha hasta el vehículo, correspondiendo ce-
remoniosamente a los vecinos que se detenían a saludarla.

La abuela y Antonia salieron, poco más tarde, seguidas del niño. Las dos habían pasado la noche sin dor-

mir y en su rostro se adivinaba todavía la huella de las lágrimas. Antes de llegar a la esquina, tropezaron con Ortega. Al verlas, el profesor retrocedió para disculparse.

—Ustedes me perdonarán que no les haya avisado — explicó —. Intenté llamarlas, pero el teléfono del bar no funcionaba.

Al descubrir al niño, vestido con el traje de los domingos y adornado con la escarapela del Congreso, la expresión de su rostro se alteró y sus ojos azules se nublaron.

—¿Tú también, Pipo? — dijo.

El niño inclinó vergonzosamente la cabeza, sin atreverse a sostener su mirada.

—Es un día de fiesta, profesor.

Ortega lo examinó tristemente por encima de sus lentes. En medio de tanta gente endomingada, su rostro parecía aún más viejo, su traje más raído.

—Las fiestas de algunos no son las fiestas de todos — observó con voz amarga.

Al oírle, don Paco, que bajaba por la calle con sus tres hijos y María, se dirigió al niño en voz alta, de forma que le oyeran sus vecinos.

—Anda, ven. No le hagas caso. Es un pobre fracasado. Un resentido social.

Pipo permaneció unos segundos inmóvil, sin decidirse a obedecer. Al fin, evitando la mirada del maestro, le volvió cobardemente la espalda.

La abuela y Antonia le esperaban en la esquina. Pipo bajó los escalones aprisa, huyendo de los sarcásticos comentarios de don Paco. En la taberna, González bebía con un amigo y, al verle, le hizo señas de que viniera.

("No me guardes rencor. Tarde o temprano hubiera acabado por entregarse." Aquella mañana, dos horas después de su retorno, González había ido al piso a hablar con él. "Está loco, tu amigo. Hace tiempo que le seguíamos la pista... Dejaba cabos en todos lados... Detenerle fue un juego de niños"... Y, en vista de que no decía nada, añadió aún: "Cuando le echamos mano, se dejó llevar como un cordero... Parecía casi aliviado... Sin que se lo pidiéramos, nos contó de pe a pa su crimen. Y, al llegar al cuartelillo, dio un billete de veinte duros al ordenanza para que le comprara cigarrillos y tebeos...")

Ahora, el cabo le tendía un sobre, escrito con su letra inconfundible, y Pipo lo metió en el bolsillo sin darle las gracias. Aguardó a estar lejos de él y lo rompió en pedazos menudos, sin leerlo. Luego se perdió, con Antonia y la abuela, entre la inmensa multitud.

...Las sirenas del puerto, coreadas inmediatamente por el alegre repique de las campanas, anunciaban a los peregrinos de todos los países la llegada del Nuncio y un grito de júbilo se elevó de entre la masa aglomerada en las aceras de la Vía Meridiana. Casi al instante, millares de palomas salpicaron el azul purísimo del cielo de infinidad de copos blancos. Entonces, la riada humana que ocupaba el centro de la calzada se puso en movimiento. Abrían la marcha diferentes cofradías con sus guiones, seguidas por los músicos de banda municipal. Un enorme gentío se apretujaba para ver, contenido apenas por una doble barrera de guardias. Los balcones, cubiertos de banderas y escudos, estaban también abarrotados. Los altavoces difundían a grito herido el himno del Congreso y, a trechos, lo interrumpían para relatar las incidencias del desfile: *"El legado ha subido al trono de oro y púrpura e imparte la bendición al pueblo... Todo el mundo llora, señores y señoras... Imposible contener, las lágrimas, ante tal explosión de fervor..."*

Los guiones se sucedían a paso lento, con los emblemas de las distintas cofradías, y sacerdotes con escarapelas del Congreso marcaban las estrofas del himno que cantaba la multitud. Les seguían centenares de niñas en traje de primera comunión: blanco velo de desposada, alitas de gasa y falda de tul. Todas sostenían entre sus manos un cirio encendido y la brisa que venía del monte comunicaba un ligero movimiento a sus alas. Sobre sus cabezas — en medio del ruido ensordecedor de los altavoces, las campanas y los himnos — las palomas seguían pirueteando.

Detrás, dos largas filas de monaguillos rojos y azules, con capas color armiño y faldas ribeteadas, escoltaban la imagen milagrosa. La gente, desde los balcones, arrojó puñados de flores. En las aceras, el abigarrado desfile de jerarquías provocaba el entusiasmo. Cada delegación, con su pastor al frente, exponía al fervor de los fieles alguna imagen santa y, a su paso, los espectadores se arrodillaban devotamente mientras el altavoz proseguía sin tregua: *"Su Ilustrísima bendice a los peregrinos desde su trono... Las madres le tienden sus criaturas... Todo el mundo, señores y señoras, intenta besar su manto..."*

Luego, al distinguir el hábito llamativo de los obispos, la emoción del público se fundió en un solo clamor. La ciudad entera vibraba bajo la nieve de los pañuelos, de las flores, de las palomas, en tanto que, coreados por miles de gargantas, los altavoces repetían las estrofas del sagrado himno que un viento juguetón difundía sobre los árboles y los tejados, hacia el puerto donde se hallaba el Nuncio, y más lejos aún, hacia el transbordador y los diques, pasada la escollera, hasta el mar.

Barcelona, julio-diciembre de 1955.

Colección Destinolibro